A Oscar,

Con solidaridad, y

muchas gracias.

Mariano Aldrete

DOMINGA
RESCUES THE FLAG

MARGARET RANDALL

AND

MARIANA MCDONALD

The oral history of Dominga de la Cruz, *El pueblo no sólo es testigo*, was originally published by Margaret Randall with *Ediciones Huracán* in Río Piedras, Puerto Rico in 1979.

La historia oral de Dominga de la Cruz, *El pueblo no sólo es testigo*, se publicó por Margaret Randall por primera vez con Ediciones Huracán en Río Piedras, Puerto Rico en 1979.

Cover art and design by Jane Norling.

El arte y diseño de la portada por Jane Norling.

Cover art adapts a solidarity poster published by Organization of Solidarity of the People of Asia, Africa and Latin America (OSPAAAL): *Day of World Solidarity with the Struggle of the People of Puerto Rico*. Designed by Jane Norling, 1973. Used with permission.

La portada adapta un cartel solidario publicado por la Organización de la Solidaridad de los Pueblos de Asia, África, y América Latina (OSPAAAL): Día de Solidaridad Mundial con la Lucha del Pueblo de Puerto Rico. Diseñado por Jane Norling, 1973. Usado con permiso.

Photo Credits: Margaret Randall, Juan Pérez, Andrés Feliciano. Used with permission.

Créditos fotográficos: Margaret Randall, Juan Pérez, Andrés Feliciano. Usados con permiso.

Published by Two Wings Press. Atlanta, Georgia, 2019.

Publicado por Editorial Dos Alas. Atlanta, Georgia, 2019.

ISBN: 978-0-578-22285-1

This story is for Gregory
the child of Chapter XII, now a man,
for being the new generation
for whom it is written.

Esta historia es para Gregory,
el niño del capítulo XII, ahora un hombre,
por ser la nueva generación
para quien está escrito.

TABLE OF CONTENTS

INTRODUCTION

The sun beat down on Ponce as we set out to visit the site of the 1937 Ponce Massacre. We wandered down pathways covered with graffiti critical of the colonial government—"Romero's government– criminal and anti-worker"—as we searched for the street with the wooden house, landmark of the historic event. Moments before, we walked by Ponce's neatly painted *Parque de Bombas,* with its red and black firehouse built in 1883, kept in perfect order. But the site of the massacre, that moment in Puerto Rican history when the Puerto Rican people confronted head-on the barbarity of U.S. colonialism, was not marked by a sign or a plaque. Only searching leads to Marina Street. The aging countenance of the weather-beaten house captures the imagination in an instant, and takes us back suddenly to that bloody Sunday, when hundreds marched down Marina Street for love of the homeland. When bullets rang out that day, one young woman would not be concerned with her own safety, until the symbol of her country—the beloved Puerto Rican flag—received the respect it deserved. Dominga de la Cruz leapt from safety to pick the flag up when its bearer was shot and killed. For that moment of courage Dominga won a place in history, as well as persecution, exile, and a lifetime of painful memories, witnessing her comrades drowning in blood.

The pilgrimage to the site of the massacre took place a few months after meeting Dominga in Havana in the summer of 1978. Sunshine filled Havana's streets that August afternoon, when Margaret and I left the 11th World Festival of Youth and Students to pay a visit to Dominga de la Cruz, "the one who picked up the flag at Ponce." Vedado streets were lush with greenery. We walked up scores of steps to Dominga's apartment. Soon a friendly and lilting voice answered, and Dominga welcomed us into her humble home.

Meeting Dominga was magical. She had been ill and needed rest but gave no hint. Only the presence of a young man who'd come to check on her let it be known. He made us lemonade as we began to talk. Dominga is a natural storyteller. We talked about the Festival and how it represented, in her words, "a new era." We spoke of *compañera* Isabelita Rosado, who had taken care of Dominga, and had recently been the honored speaker at a women's conference in the States. With great enthusiasm Dominga told us of her visit to Puerto Rican Nationalist hero Andrés Figueroa Cordero, invited to the festival as a guest of honor. Andrés was staying in the Fajardo hospital not far from her house, and Dominga went to see him. It was the same time as Fidel was there to pay the hero a visit. "Imagine that!" she said in her typical unaffected way, delighted to share her delight.

The conversation turned to that Sunday in Ponce, to the terrible brutality that Dominga survived. When her comments on it were sought, she answered, "Well, *compañera*, to ask me about the massacre is to ask me more or less about what is my life, because my whole life began again through it." When queried about the connection between the massacre and the murders of two *independentista* youth that had recently taken place at Cerro Maravilla, she responded, "In this Puerto Rican struggle, we do not cut ourselves off from the past, for it is all one. It began in Lares when the nation was formed, and Hostos and others continued it. It is a sequence, it is all one."

It is a sequence where the brave stand out like shooting stars. When asked about her action and her bravery, Dominga's answer is simple: "I did my duty." Dominga's words echo the courage of countless Puerto Rican patriots who have resisted colonial domination for centuries, first against Spanish rule, which decimated Borinquen's Taino population and entrenched chattel slavery, and continuing with the U.S. invasion in 1898.

Spain's domination of Puerto Rico, an emerging nation of Taíno, Spanish, and African blood, gave rise to rebellions in the nineteenth century. By 1868, resistance had developed a coherent national character, when the Puerto Rican nation was declared at the historic *Grito de Lares* uprising on September 23. "Awake, *Borinqueño,* the signal has been given!" wrote Puerto Rican poet revolutionary Lola Rodriguez de Tió in what became the national anthem "*La Borinqueña.*" The armed uprising at Lares was a decisive ideological and political victory for the cause of Puerto Rican independence.

The spirit of Lares thrived in the years following 1868 as the crisis of Spanish colonialism ushered in a new period of human history: the era of U.S. imperialism. Taking advantage of Spain's weakened position and in search of raw materials, cheap labor, and new markets, the United States invaded Puerto Rico. Seizing the island by force as a spoil of war with Spain, the United States began its illegal occupation of Puerto Rico on July 25, 1898.

"The Yankees have been at war...against the Puerto Rican nation and have never acquired the right to anything in Puerto Rico, nor is there any legal government in Puerto Rico, and this is incontestable. One would have to knock to pieces all the international rights of the world, all the political rights, to validate the invasion of the U.S. in Puerto Rico and the present military occupation of our national territory," declared Pedro Albizu Campos, leader of the Nationalist Party. Founded in 1922, the party grew as a dynamic force under the leadership of Albizu Campos, a brilliant and charismatic young black Puerto Rican from Ponce. Soon the United States began to fear the nationalists' potential to respond to the island's growing economic and political crisis. The governor appointed by the United States to take on the task of putting down the Nationalists was General Blanton Winship, a southern-born military man. Winship's first step in the plan of all-out war against the Nationalists was naming Colonel Francis Riggs, an expert in counterinsurgency, to the post of Police Chief of the island. Riggs made no attempt to conceal his task; he boasted of plans to "make war" against the Nationalists.

Make war he did.

"Sleep, my little one, for Winship comes, comes with carbines, comes with rifles," wrote Puerto Rican national poet Juan Antonio Corretjer in "Lullaby" in 1937. The nationalist movement grew as people witnessed the fiery embodiment of Puerto Rican consciousness which was Albizu Campos. His insistence on Puerto Rico's independence struck a resonant chord in the Puerto Rican people, who suffered extreme poverty and degradation. Many lived a life like the one Dominga shares with us, living on "black coffee and old bread," suffering from disease and malnutrition, working long hours in the cane fields and factories. They were moved by the words of the saint-like son of Ponce whose deliberate and brilliant style of speaking, as Dominga says, "got rid of the myth...that the Yankee was some sort of god!" That is why the *Maestro*, or teacher—as Dominga was to "baptize" him—and his party were viewed by the U.S. government as a threat to be countered with fierce repression—repression that reached new heights of violence with the Ponce Massacre, when 21 people were killed and over 200 wounded.

The demonstration that Sunday in 1937 was called by the Nationalists to commemorate the end of slavery and to protest the imprisonment of their leaders, condemned to prison in bogus trials in 1936. Albizu Campos and others were sentenced to ten years in prison in Atlanta, Georgia. A cloud of repression hovered over the island as demonstrations were banned in an attempt to squash demands for the nationalist leaders' freedom. The party resolved to hold a demonstration in protest. Despite the ban, the mayor of Ponce granted a permit for the march, only to renege it on Winship's orders less than an hour before the demonstration was to begin. The organizers did not falter; they would march, permit or no. The Cadets of the Republic and the Corps of Nurses of the Republic stood at attention preparing to protest.

As the procession began, a bullet was fired into the crowd. A single bullet turned into a barrage, and for fifteen minutes, U.S.-supported troops fired on the marchers, the Nationalists, and passers-by leaving church that Palm Sunday. The horror of those minutes was indelibly written on the pages of Puerto Rican history and the history of the Americas. Even those who had no qualms about the colonial status of Puerto Rico and the land-grabbing ways of U.S. imperialism had to admit it was a massacre.

Before the blood was dry on Marina Street, Winship and his troops began carrying out U.S. orders for arrest of all participants, arguing that the violence was provoked by the unarmed nationalists. But the truth of the massacre soon reached the Congress of the United States. On April 14, 1937, Congressman John T. Bernard offered testimony to the House of Representatives: "Men, women, and children, nationalists and non-nationalists, demonstrators and persons outside of the parade, just like those who ran away, were shot at. They were chased by the police and shot and beaten at the entrances to houses… A child of seven years, Georgina Vélez, was shot in the back while she ran to a nearby church…Carmen Fernández, 35 years old, was gravely wounded. When she fell to the ground a policeman hit her with his rifle saying, 'Take this, for being a nationalist….'" While Winship's U.S.-ordered violence terrorized many, the cold-blooded brutality of the massacre only served to steel those who would continue the fight.

The Second World War devoured the world's attention and signaled a new phase for U.S. hegemony; Europe's state of disarray emboldened U.S. consolidation of power. Puerto Rico was turned into a virtual military base, evicting thousands on the Puerto Rican island of Vieques from their homes as the Navy took over Vieques for military training. In 1947 the U.S. government began "Operation Bootstrap," designed to make the island a paradise for capital investment and a "showcase" for Latin America. The process of transforming Puerto Rico's economy meant that hundreds of thousands of *jíbaros*, or peasants, were displaced from the countryside and forced into the cities. "The black man goes to San Juan, looking for work, looking for bread," writes Puerto Rican poet Roy Brown. "He doesn't know just what he'll do, he only knows he won't return."

Puerto Rico's cities offered no sustenance, and the massive emigration of Puerto Ricans began. The path from the countryside to San Juan, to New York or Chicago or Boston, was traveled by countless *Boricuas* who would suffer the worst living conditions of the United States, along with racism and threats to their language and culture. At the same time, it consolidated another front in the fight for the independence of Puerto Rico. As early as the 40's the Nationalist Party was active in New York, organizing for the release of its leaders. Members in the diaspora would play a crucial role in the 50's, when the United States attempted to end the nationalists once and for all. Upon learning of plans to annihilate them, the Nationalists launched an armed insurrection throughout the island. On October 30, 1950 the uprising began in Jayuya, where Blanca Canales gave orders to attack the police station. The city was taken, and Canales declared the Second Republic of Puerto Rico.

The U.S. responded by bombing Jayuya and storming the streets of cities and towns with U.S.-armed National Guardsmen, who began a wave of mass arrests. Albizu Campos' house was surrounded by police who tried for three days to make the Nationalist leader surrender. Only after a tear gas attack could police enter to take him prisoner. In U.S. news, the uprising was depicted as "local riots," and a virtual blackout prevailed. To draw world attention to Puerto Rico, party members Oscar Collazo and Griselio Torresola attacked President Truman's mansion. In the attack Torresola was killed; Collazo was taken prisoner and sentenced to the electric chair. An international campaign mounted by the Nationalists won Collazo a stay of execution.

One person active in the campaign to save Collazo was a young Puerto Rican woman named Lolita Lebrón. In 1954 she would lead an attack on Congress to call world attention to that body's responsibility in maintaining Puerto Rico's colonial status. On March 1, 1954, Lolita Lebrón, Irvin Flores, Rafael Cancel Miranda, and Andrés Figueroa Cordero entered Congress with the cry of "Viva Puerto Rico Libre!" punctuated with bullets. They were immediately taken prisoner and called "Puerto Rican fanatics." They are today, along with Collazo, among the longest held political prisoners in the hemisphere.

The repression of the 50's took a heavy toll; nationalists and sympathizers were jailed, beaten, and sometimes murdered. Avowed *independentistas* suffered repression that denied them work, condemning them to poverty and often, as had been the case for Dominga, exile. Meanwhile, profits from Puerto Rico skyrocketed. Industry thronged to Puerto Rico, attracted by tax-exempt status, cheap labor, and a lack of environmental regulations. Emigration continued unabated, while forced sterilization of women restricted Puerto Rico's population growth. By the late 60's, more U.S. capital was invested in Puerto Rico than anywhere else in Latin America. Over one-third of the Puerto Rican population had emigrated to the States, and a third of all Puerto Rican women of childbearing age had been sterilized. Economic disaster persisted; unemployment reached a staggering 40%, and Puerto Rico amassed a huge national debt. The crisis of the colony could not be contained.

This is the context of Dominga's story. It is a story of resistance, the pulsebeat of Puerto Rican history. Dominga de la Cruz leaping into the gunfire to retrieve the Puerto Rican flag *is* Puerto Rico in struggle.

Dominga's story provides many lessons. She is a black working-class woman who fought to participate in the movement. "Even today, Margaret, we have to fight for our right to struggle!" she explains, relating how the women at Ponce had at first been ordered not to march. Dominga's experience is not isolated. The centuries-long activism of Puerto Rican women was often discouraged and ignored. Women's participation began with Taínas who resisted the Spanish, and black enslaved women who led plantation revolts. It continued at Lares with Mariana Bracetti, creator of the Lares flag, and Lola Rodriguez de Tió, whose call to arms is sung today, and in the 30's and 50's with women like Dominga who played an active role in the Nationalist Party. It is a history pervaded by the image of Lolita Lebrón, imprisoned for a quarter of a century.

Women are active on all levels in the independence movement today. Many have gone unsung. "I'm going to prepare a list of women active in the 1950 revolution and in the struggle in general, in this century, and you will be amazed at how many unknown names keep popping up," writes Zoraida Collazo, daughter of Nationalist prisoner Oscar Collazo and herself an activist in the independence movement. "As an example, I'm going to list some, and you tell me if you ever heard of them: Juanita Ojeda, Olga Viscal, Carmín Pérez, Isolina Rondón, Juanita Mills, Blanca Canales, Doris Torresola, Angelina Torresola, Carmen Otero, Rosa Collazo, Isabelita Rosado, Cándida Collazo, Carmen Fernández, María Fernández. These are just to mention a few."

Dominga's story reveals her outstanding gifts as a cultural worker. We learn about her days as a *declamadora*, or reciter of poetry, the verse of black Caribbean poets in particular. It is easy to imagine the force and vitality of Dominga reciting. She reminds us of another cultural worker, compatriot Lola Rodriguez de Tió who, like Dominga, lived much of her life in exile in Cuba. Rodríguez de Tió's famous lines about Cuba and Puerto Rico sum up the countries' historic relationship. "Cuba and Puerto Rico are two wings of the same bird," wrote the poet who fought alongside Cuba's José Martí. Cuba continues to support Puerto Rico, the still-chained wing. It is natural, then, that Cuba would become Dominga's second home, welcoming her with open arms when her own country's oppressors forced her into exile.

Another lesson from Dominga's story concerns the very genesis of this book. This volume is a reflection of longstanding bonds of solidarity between Puerto Rican activists and progressive U.S. people. In this tradition Margaret Randall brings us Dominga's story as oral history. Through Margaret, Dominga shares her story in her own words. The rapport between Dominga and Margaret shines through these pages, a vibrant example of the solidarity Puerto Rico requires. This book hopes to add fuel to the fire of that solidarity, by sharing the life of a Puerto Rican heroine who stepped into history in one of Puerto Rico's darkest moments, one in which Dominga's courage confirms the *Maestro*'s teachings: Independence is not won with applause. It is won with deeds.

Mariana Mcdonald
Dorchester, Massachusetts
Summer 1979

ABOUT DOMINGA'S STORY

Margaret Randall

Puerto Rico is a perfect example of a colony. There, all the economic, political, and military factors come together to merit this definition. The resulting cultural effect has promoted an apparent "consent" on the part of the people, by means of which the forces of reaction claim popular approval of the status quo.

In his essay *Hacia una interpretación marxista de la historia de Puerto Rico y otros ensayos,* Manuel Maldonado-Denis explains:

> [In Lenin] we find all the basic characteristics of imperialism as the most advanced form of capitalism, perfectly applicable to the case of Puerto Rico: military conquest, exploitation of cheap and abundant labor, despoiling of the primary resources of the colonized country by the colonial power, opening of a captive market where the imperialist country can dump its excess goods…Puerto Rico is distinguished from other societies under neocolonial domination by the fact that the US exercises direct control of our nation by way of multiple agencies which determine the most important aspects of our collective life. Since Puerto Rico lacks even the formal and legal exercise of sovereignty, the structural conditions for change must come about within a context which allows the [US] metropolis a penetration much more intensive and extensive in all aspects of our collective life than in dependent societies which have a more neocolonial character.
>
> *Hacia una interpretación marxista de la historia de Puerto Rico y otros ensayos,* Page 19.

In a situation like the one described above we see all the conditions of injustice that characterize class societies, plus the imperial colonial relationship that produces this specific picture. And of course we see the struggles that historically are destined to bring down the bourgeoisie in power and replace it with the proletariat as master of its own life and future.

There are always leaders in this long struggle—people like Betances, Pedro Albizu Campos, Lolita Lebrón, Juan Mari Bras—but the people are always the determining factor in a revolutionary movement. The masses of men and women are the ones who bring about the most profound social changes. Much has been written about the leaders, but very little about the men—and even less about the women—who make up that uncontainable human force: the working class.

This is the testimony of one woman. One woman whose very life compelled her to search for solutions and whose moment in history brought her into an important struggle for her country.

For years now in Havana we have heard the sentence, "She's the one who picked up the flag at Ponce." Just that, and repeated every time someone wants to go a little deeper into the image of Dominga de la Cruz, a tiny, energetic, and sweet older black woman.

The figure of Dominga is a common sight: in activities of solidarity with her country, in the many tasks carried out by the Cuban people building their new society, on her daily errands at the butcher shop, the vegetable stand, the dairy store.

But who is Dominga de la Cruz? Who lives behind that face so frequently explained as "the one who picked up the flag"? What is the life hidden by her soft smile and deep eyes? We went looking for the woman behind the historical moment, because we know that Dominga, like so many women, has to be so much more than what is exemplified in her most outstanding moment; she must have lived years and years accessible to our most intimate suffering, to our capacity to understand the life of any woman of the Americas.

Yes, she was a follower of Don Pedro Albizu Campos, and yes, she ran through the bullets and protected her beloved flag—explaining later that "the Maestro taught us that the flag should always be held high." And yes, she left her oppressed island and traveled far and wide to sing of the suffering and the pride of her people. But Dominga also was born and grew up, learned and worked, bore children and suffered the daily existence of millions of poor, black, exploited women of the Americas. We went looking for *that* Dominga, the one who was born long before the supreme moment in Ponce, the one who continues to live among us.

We met her in her tiny apartment in the Vedado district of Havana. This woman, now nearly seventy years old, well deserves the rest offered her by revolutionary Cuba since 1962, when she came here to live after being hunted and persecuted in Mexico. Her home, the objects that surround her, and the atmosphere that she creates wherever she goes, compose a tableau at once nostalgic and totally immediate...an accumulation of memories that have not died. Posters, books, photographs, event programs where the paper has long yellowed, but the events—political actions, memorials of the massacre, poetry recitals—all still of the utmost importance, breathing as integral parts of Puerto Rico's history.

At times she seems all smile and hands: her gestures are grand, expansive, describing a profound experience that has given her an understanding of problems and joys, of her environment, and the smallest details that make it up. When she starts to talk about something, there is a certain shyness about her, but as she warms to her subject she becomes more animated, gesturing; her language starts to bloom and her musical tones bring out emotions, colors, faces, energies, fears and strengths, and pride, struggles that are still going on, and songs that never become old.

I don't think I have ever heard a voice quite like Dominga's. It's terribly soft, and at the same time strong and resonant. At times she speaks slowly, chooses her words, dwells on them before letting them out. At others she is pure poetry—the words dance, slice the air, jump, doze a little, or run away.

It is not hard to get Dominga to talk. It is not at all difficult because she herself has been thinking about this task. She says that she wants to leave her little history—part of the larger history of the woman of the Americas—so that today's youth can know and learn from it. She is orderly and meticulous in all her actions and has thought of "completing this task before I die" as she puts it, with her characteristic modesty and profundity. She always goes back to what is great, what is historical; sometimes it takes a lot to get her to talk about herself, about the little things. I have to explain to her that her life has a deep meaning for us, that we see in her an example of the ordinary woman who is awakening all over the continent.

In these pages the reader will come across many memories but perhaps very little of the Puerto Rico of today. Despite the fact that we wanted to include as well her most recent memories and comments, the lack of breadth as far as the present goes is due to her having lived in exile for so many years; her only return to Puerto Rico was quite brief, four months in 1976.

For a deeper understanding of the struggle of the Puerto Rican people today, I recommend the books quoted throughout this work, and the weekly
Claridad.

Dominga was born April 22, 1909, when the United States was buying
up control of the island. She opened her eyes to the things of this world
precisely at a time when everything was changing, becoming "American-
ized." The contradictions between life as her grandparents and parents had
known it and the reality that she faced daily were enormous, sometimes
inexplicable.

> The colonial authorities tried to destroy the roots of Puerto Rican
> national identity, to bury Puerto Rico's history and twist its tradi-
> tions. Under U.S. domination illiteracy dropped from 87% in 1900
> to 50% in 1920, but education was not offered to the Puerto Rican
> people for purely humanitarian reasons. Industry needed a work-
> ing class that could read and write the essentials of English...For
> hundreds of years Spanish was the spoken and written language
> on the island; now suddenly all school classes were conducted
> in English...In 1917, two decades after the military invasion, the
> U.S. Congress tightened its political grip on Puerto Rico with the
> passage of the Jones Act...It imposed U.S. citizenship on Puerto
> Ricans whether they liked it or not...
>
> *Puerto Rico: The Flame of Resistance*, p. 36.

Translated by Christina Mills

THE PEOPLE ARE MORE THAN WITNESSES

Dominga de la Cruz

I. IT SEEMS TO ME I DIDN'T HAVE MUCH OF A CHILDHOOD

You might not believe it, but it seems to me I didn't have much of a childhood, or even youth. I was born mature. I don't know if you get what I mean: I was born old. I don't remember much of my youth, just the struggles, and the same with my childhood.

My parents died young...I must have been eight or nine years old; I can't remember their faces. There were six of us in all and I was one of the youngest. My brothers and I were farmed out to different families to be raised.

I was lucky enough to stay at least for a while with two families who were friends of ours. They were pretty politicized people for that time; they wanted their country to be independent, even though they were sort of bourgeois. Of course at that time the petit and grand bourgeoisie wanted the island to be independent so they could get even richer off the sweat of the workers.

I'm a working-class woman, born in the Buenos Aires district of Ponce on April 22, 1909. A worker, in spite of having spent a few years in homes that were better off economically, after the deaths of my parents. They died almost together, my father I think from some disease of the kidneys...and since they were an old-fashioned couple and neither could live without the other, when her husband died my mother forgot about us and went and died too.

I was raised away from all the rest of my remaining family. They took me to stay with my godmother, a woman who had married a Spaniard, and who I guess you could say was pretty cultured. She protected the youth of that time, always went to hear promising artists, attended the theatre, gave gifts to the principal artists. So I grew up among all that.

I used to hear her play the piano—she played quite well. And from the time I was little I would listen to the works she played. I listened to the older girls when they gathered and recited, and so as a little girl I became aware of the art of reciting. Maybe that's why I liked it, why I still like it so much.

My godmother had a library where I would choose books by the best poets, like Ramón de Campoamor, Victor Hugo…I read the *Contemplations* by Victor Hugo when I was still pretty small but I understood a bit of it. They used to go away in the hot season—July and August—to a beautiful place in the country. I liked nature, I liked to see the trees, the river, everything, as if I could understand it somehow. I learned a couple of poems of Juan de Dios Peza, the Mexican poet, and when I was alone and nobody could hear, I would recite them. My audience was the river, the trees. The trees swept by the wind—that was my favorite audience!

I went to school at that time, but not for long. I was bored…the teacher, the discipline they said later—excuse me for saying this—but they told me later when I was big that I was rebellious because I was intelligent. I don't know about that, but I was bored. I liked poems and such best. Not arithmetic. Also, because of the yankee influence in Ponce the schools began to have mixed classes, with boys and girls together. There were problems with that because of people's backgrounds and the imposition of a strange culture without explanation. Of course it was better for the girls, who they let go to school. I got to the fourth grade and they took me out. After that I studied at home, but for a very short time.

My godmother and her husband died shortly thereafter. It was a confusing time but I understand more about it now; the issue of North American imperialism was in the air. I can understand it now. They had a coffee plantation and it was ruined. I later heard Don Pedro explain those setbacks for my people; I believe the North Americans devalued the dollar, and people were ruined because they didn't listen to Don Rosendo Matienzo Cinturón when he said, "Don't sell the earth! Don't sell the land!" Maybe they didn't pay attention because they wanted to get out of debt, and that brought on the fiasco of that first stage in Puerto Rico…

Under U.S. rule Puerto Rico became one big sugar plantation owned and operated by North American companies. The diversified agricultural economy declined and Puerto Rico became a one-crop economy. Over several decades the coffee and tobacco plantations were driven into bankruptcy…Over a 30 year period U.S. corporations came to control the Puerto Rican economy. In 1899 Puerto Ricans owned 90% of the farms and estates; by 1930 North American monopolies owned 65% of sugar production; three-fifths of all sugar lands were owned by four U.S. companies. From 1900 to 1930 U.S. monopolies extracted over $200,000,000 in profit from Puerto Rico.

Puerto Rico: The Flame of Resistance, p. 40.

In the middle of all that—the coffee disaster, the death of that family—I went to live with my brothers, poor people who raised pigs and so forth. I spent my time working with all that. I got malaria because I was not used to that kind of life and the change was so abrupt. I would get the chills out in the fields and lie down on the ground until they went away. By chance, because of the deaths of my parents, I had lived away from that reality for a time. But that reality is the norm in our countries. How many women, how many men are born and die in that life? How many? That's why I said I don't really remember having a childhood, just pieces of one. Yes.

II. ALL THE TERRIBLE THINGS THAT HAPPENED TO WOMEN IN THAT TIME HAPPENED TO ME TOO

So that's how I grew up, matured, became a young lady, as they say in Puerto Rico, and I began to work in the factories, in workshops where they made embroidered and laced blouses, with my sister. My older sister.

Puerto Rico is famous for its embroidery, very fine work that is possible, as in other so-called "underdeveloped" countries, because the workforce is practically enslaved. But you can't imagine what that work was like. Day after day, we worked by the light of a paraffin lamp until two in the morning. And badly fed. I was in Mayagüez with my sister, practically the only place I could go. I think Mayagüez had more tuberculosis than any other city, because there was no food and there was a lot of that work with needles. Needlework factories. We were working in those conditions when Albizu Campos began to make things clear.

> ...the USA decided to establish light industry, manufacturing: clothing, shoes, weaving, that sort of thing. That needed a female workforce, easier to exploit. First, a lot of men were forced to go to the USA, what with the ruin of our agriculture. Second, they preferred to employ women because they could pay them even less. Because if they pay a man a third of what they pay the North American worker for the same work, they pay a woman a sixth or an eighth. So the Puerto Rican woman was incorporated into the process of production, and now they're 48% of the labor force.*
>
> Unpublished interview by Margaret Randall with Carmen Baerg, leader of the Puerto Rican Socialist Party, October, 1972.

---

* According to data from the permanent mission of the PSP in Cuba, in 1978 women made up 49% of the productive labor force, and 51% of country's population.

At that time I still didn't have...no...I didn't *know*. It's not that I didn't have, but that I just didn't know what the class struggle was. It wasn't any picnic to work till midnight by lamplight for the sweatshops; you see, the work was done at home; we worked at home. An agent who contracted with the factory brought us the work, then charged us a fee. We suffered a double exploitation.

I didn't understand the class struggle, but I sure understood my own misery. Sure, maybe I thought it was "my" problem...But I was rebellious by inclination. And I didn't want to go on working there. So they took me to a cigar factory where some friends of my sister were working. I knew how to read and they said I read quite well for being so young. Because our language was a little garbled at that time, no? And I read pretty well. So I went to read to the workers, in a *chinchal,* as they call it, a cigar factory.

All the terrible things that happened to women in that time happened to me too. A woman had to find a husband to be able to eat. So I found mine and got married.

Don't think I loved him. No way. I had a good education, maybe too good in some ways. When I was a little girl they talked about a lot of things that were maybe too lofty for me. So I was a little demanding, not to find a rich man, or even a well-off one. No, no, no. The sexual thing wasn't very clear for me. That was it. For me it was as if it didn't exist. Maybe you'll think it's incredible but that's the way it was. Now, I had to find a man, because married or not I had to get help to get by financially. I didn't understand why things were that way, I just followed the pattern without understanding. Although I rebelled, that's for sure; I didn't know against what, but I rebelled.

Everything was so different then. And now one understands so many things. I got married but...I don't know, he was...he was a Protestant but... he wasn't a "bad" man, but I never got to feel really close to him.

> In Puerto Rico men see women as inferior beings—and this in spite of so-called legal equality...[there are] professions all but barred to women: medicine, engineering, law...Religion, ruling-class morality, and the propaganda media—film, radio, press, TV—are active allies against women's liberation. Virginity remains a value in our society and social pressure is used to punish the woman who violates it...
>
> *Hacia una visión positiva del puertorriqueño.* Juan Silén,
> p. 163–164.

I had two little girls, one after the other, just like that. I felt something really special about being a mother, feeling a baby in my arms, hearing her call me *mamá* for the first time, those things...all that was something extraordinary for me. But it can be said that my daughters died of hunger. Rickets. I didn't have enough to nourish them properly.

The eldest, Ana Luisa, lived to about twelve years, but the younger one, Maria Teresa, didn't last as long. She was weaker. She died when she was 4 or 5 years old.

You see, we were women who often had to go and scrub floors or do whatever domestic work we could find to scrounge a bit of milk. And since most of the time what we could get was very little we would make a tea of orange leaves and mix it with the milk to give to the babies. They would fill themselves up on that.

A lot of the time we ate only stewed cod and white rice. We ate cod and a lot of water to fill us up. That's why I got anemia later, the girls too. I had to breast feed them very late, until they were quite big. That was the only thing that would keep them quiet, their mother's breast. That was the experience of a lot of women. Working and scrambling for every penny. It was a crime how we were treated.

> In the years after 1928...all the workers were badly off economically. Most families took up needlework to survive...Whole families spent all day and part of the night embroidering handkerchiefs and blouses...but didn't earn enough to eat three times a day. Black coffee and old bread were the refuge of the poor. In this situation it was to be expected that disease would flourish amid the misery. The thousand diseases produced by hunger and poverty fell upon the poor: anemia, typhus, gastroenteritis, malaria...
>
> From the testimony of Juan Sáez Corales, "25 años de lucha" in *Lucha obrera en Puerto Rico,* Angel Quintero Rivera, pp. 128-129.

My husband and I separated; he went to one of those islands...Curaçao or something like that...because he liked to buy and sell things. I learned later that he died. He set out to seduce a woman—he was like that—and they killed him. That's what my family heard of it. It didn't matter to me by then.

It was around the time I'm describing that they took me to the cigar factory. And there I began to feel, you might say, like a real fighter!

I listened to the workers; I read them the newspaper in the mornings, *El Mundo*—that was the main paper—and I would read the news of everything that was going on. Albizu was on the scene then: "President Albizu went to Latin America…" and all those things about the struggle were being published, and about Moscow and the Bolsheviks.

My life as a worker went as far as the cigar factory. Because in 1932, Albizu had led an assault on the Capitol.* He did it for the flag. They tried to use our flag to confuse the people, and they had it hidden. Then Albizu asked the people to attack the Capitol to rescue the flag, because they were working on a law that would let all the politicians in Puerto Rico use it, and he thought the flag of Puerto Rico was too high and sacred to be used for politicking by people who were selling out the country.

There in the cigar factory was where I read to the workers about the assault. The first martyr of our times in Puerto Rico, Suárez Díaz, died in that assault. It was tremendous! The people entered the Capitol and that boy, Manuel Suárez Díaz, took the flag from the senators, and the senators practically jumped out the windows. It was a huge crowd of people who broke in; they were fixing something that fell down and the boy fell. He died right there. But the flag was already saved. They took Albizu to jail but let him go right away…

I also read the workers a book about the French Revolution. They really liked it, the whole working class of the country liked it. The workers would discuss among themselves; of course they didn't worry about me because what did I know? But I listened to everything they discussed and I liked to hear it, even though I didn't understand it completely.

I remember how one time a worker said—talking about the Bolsheviks—"Russia will be our teacher!" Like an exclamation or like a conclusion from what they were discussing, no? And it stayed in my mind; I never forgot it.

> The themes alternated: after a work of philosophy, politics, or science there would be a novel…Émile Zola, Alexandre Dumas, Victor Hugo, Gustave Flaubert, Pérez Galdós, Palacio Valdés, Dostoyevsky, Gogol, Gorky, Tolstoy…In all the factories there was

---

*   The Capitol building in San Juan

a religious silence during the reading. When we were enthusiastic about a particular passage we showed our approval by banging our tools on the work tables. This kind of applause sounded like a symphony from one end of the workshop to the other. Nobody missed a word, especially during the polemical pieces. At the end of the reading there would be a discussion about it; we talked from table to table, without interrupting the work. No one formally directed the discussion, but we took turns speaking...It wasn't unusual to see an encyclopedic dictionary on the bench of one of the workers.

Iglesias, César Andreu, ed *Memories of Bernardo Vega*, pp. 59–61.

III. WE WEREN'T AFRAID OF PRISON OR DEATH

During all this time, working here and there, I had my first daughter and then the second, and they died. One day I heard that Albizu was going to speak. There was a big strike of sugar workers and he was going to speak in the public plaza of Mayagüez. I was curious what with everything that had happened to me, and I felt...*compañera* Margaret, I was just sure that I was going to find something. I was sure, I don't know of what, but I knew I was going to find it. And that I'd have to get going to find it. Do you know what I mean? Well then, I went to hear Albizu...

> Albizu Campos was born in Ponce on September 12, 1891. In July 1898, when he was seven, the U.S. army invaded the city and held it captive. It was a sight Albizu never forgot; soldiers from another nation occupied Ponce's streets, Ponce's town square; the Stars and Stripes was raised above the municipal building. In those years Albizu also learned about North American racism. His mother was part Black, part Indian...As a young man he attended college in the U.S. ... At Harvard Albizu was deeply influenced by representatives of both the Irish Nationalist Movement and Mahatma Gandhi's Indian Nationalist Movement...[He] decided that Puerto Rico would have to create a liberation army with the striking force of the Irish Republican Army (IRA)...In the mid and late 1920's Albizu began to formulate a strategy for the liberation of the homeland...

> *Puerto Rico: The Flame of Resistance*, pp. 52-53.

When I saw him for the first time he was seated; he looked very tired and his eyes seemed sad to me, weary from the struggle. But he had a wonderful way when he spoke. He would begin slowly and gradually get stronger. People of all levels of intelligence understood him: workers, students, women, intellectuals. He got rid of the myth we had that the yankee was some sort of god!

He was tremendous with the Nationalist Party there; I heard him explain so many concepts that I was taking in for the first time. I knew he was telling the truth. I watched him and said "What this man says is no lie," because there were a lot of politicians who played with the workers, who played with politics itself, you know. I said to myself, "No, not this one. This man is telling the truth."

And I said to myself...because I was rebellious, and to tell the truth pretty bold too, that's true, maybe because of my youth...anyway, I said to myself, "I have to talk to this man; I have to ask him why so many things have happened to me...me who's done nothing to anyone: Why have so many things happened to me? I'll tell him all about it and he'll understand."

Imagine...this was something that just wasn't done...I went to where the Nationalists met. Albizu wasn't in Mayagüez any longer. I went there all fired up and said, "I've come to sign up." So they said to me, "To sign up? And who are you?" And I said, "I'm the niece of Joaquin Becerril." Joaquin Becerril was a leader of the Republican Party and was famous because once in a speech he said that here in Puerto Rico everything comes down to food, spoken in the *jíbaro* way, no? That it's all a matter of food, that there was no truth, that the only true thing was Albizu Campos. That made him famous. Then they said, "Ah, so you're Becerril?" and I said, "No, I'm his niece..." They were almost all men there...but they signed me up. That was at the end of 1933.

Later the Nationalist Council of Mayagüez divided, because there were people there who were cowards and others who were ready for anything. When President Roosevelt came some nationalists wanted to give him a bouquet of flowers. Don Pedro went to Mayagüez then to dissolve the Council.

The "bourgeois" who left that Council decided to form a separate Club. They rented a house...a club like so many others, to play at "patriotism." They tried to use the flag of Lares, but Don Pedro warned them that the flag of Lares belonged to the first revolutionary nationalist movement of Puerto Rico and if they insisted on raising it, the true Nationalists would salute it with gunfire.

The fuss there was! Gunshots and all! After that they didn't try to use the flag of Lares again. The true Nationalist Council reorganized under Don Julio de Santiago, and we kept on working for the country's freedom. We weren't afraid of prison or death.

IV. ALBIZU CAMPOS TAUGHT ME THAT THE FREEDOM OF THE HOMELAND IS NOT SOMETHING TO BE ARGUED ABOUT

Right away they assigned me tasks. I didn't have many skills—I say, no?—but I wrote a few articles in favor of the Party and everything we wanted to promote. I took them to the newspaper, *El Sol* in Mayagüez. They published them right away, because I wrote them with a realistic sense but in fact they contained a lot of poetry. The poetry came out of me just like that! They published everything I wrote.

They thought I was quite a talent. And since Becerril was a very talented man they confused me with him. Once I wrote something in favor of Albizu Campos and sent it myself to be printed as leaflets and handed them out myself [she laughs]; I made propaganda on my own! [She laughs even more.]

In 1933 the annual National Assembly of the nationalists was to be held in Caguas. And since I was in the Council they told me to go with the women. That is, with them but in a central role, as a leader. And the women themselves went along with me. Imagine! I didn't know anything and they accepted me as their leader...

When the Assembly came about the *compañeros* of the Council invited me to go with them and meet Albizu; he already knew about me because of my writing and wanted to meet me. He was a very human man. Very simple in his greatness. Well, they asked me if I could go and I said yes, of course I would go.

The *compañeras* who were working with me told me I should write something about the Nationalist woman. They wanted me to say something about the change women should have in the Nationalist Party. So I talked with them: wouldn't it be better if instead of being Daughters of Freedom, they were Nurses in the Army of Liberation?...And that's what I brought, consulting about it first with the president of the Party in Mayagüez.

The *compañeras* in the Party needed to be something more than Daughters of Freedom, which after all was really only a formal thing. They were doing the exercises and all, but they wanted something else, to go forward as women, not to imitate men but to achieve something as women within the Party. So then I brought that proposition and it was passed. It was passed, because guess who read it, *compañera!* Albizu Campos himself!

He liked to see women better themselves. The *compañeros* took me to the house where he lived with his family. They told him that there was a delegation that came to Caguas to work. When he came to see me, a young woman, without prejudices because I didn't have any, so confident and sure among all those men, he admired me, see? And when he came to greet me I didn't understand; I saw myself as such a small woman in just everything, and he was a man of enormous greatness in Puerto Rico. He came up to me and the only thing I could say was, "Oh, *el Maestro, el Maestro!*" I baptized him "*el Maestro,*" and it stuck.

I brought the women's document to the Assembly; the women wanted to be nurses in the Cadet Corps of the Republic. The Cadets, as many people know, Margaret, never had arms. They did exercises, sure, but with wooden guns. Of course maybe the leaders thought that someday they'd get the other kind, see, but they were wooden guns for learning the exercises.

The *compañeras* wanted to take part in that, but in a different way, as nurses, learning first aid, to help the cadets if some day something happened and they were wounded, you know, that kind of thing…I brought that petition before the Assembly and they named me—I had the honor to be on the Resolutions Commission. Then I went to work and presented the petition that I brought in the name of the women of Mayagüez. I became a leader, there was nothing else to do; by then I couldn't turn back.

That petition came into the hands of Albizu. You know that generally each one reads their own resolution, but he took mine and said, "I'm going to read a resolution here from a lady," and then he read it. I had that great honor, one that maybe few of those present had had. And the resolution was approved by acclamation. The whole Assembly was on its feet. We women triumphed there. Our uniform then was white; so later, in the massacre, we appeared all dressed in white accompanying the Cadets.

The struggle wasn't easy, Margaret. It is very difficult. And full of trials throughout. Our slogan was to struggle until death if necessary. Don Pedro said to the people when he addressed them, and he told us who were his followers, "The homeland is courage and sacrifice." So we didn't think we were there for the fun of it, you know, nor to pass the time, nor out of adventurism. But really to defend the homeland…and to learn to know it as deeply as possible.

We still didn't know very much; we were under the boot of imperialism and we talked about some things, "yes…no…" Like that. At that time they called the empire "the colossus of the north"…we were in that kind of mental confusion when Albizu arrived. I think his greatness is in having taken a people on its knees, because that's what we were, a people on its knees, and with his energy having *put that people on its feet!*—made it move forward and taught it to struggle.

After that there was no way we were going to get back on our knees again. We had to keep going forward. But it was terrible, to struggle against an empire that had all that on its side. You'll understand that many times we thought we were finished, but we had to go on. Like the revolutionaries in Cuba, who struggled with great enthusiasm because they knew they were defending what was theirs. That's exactly what happened to us there. We knew we were defending our homeland. And with such energy!

We didn't argue about orders, whether they were good or not, no way. We followed our leaders. We loved Don Pedro, not as a myth that we had formed mentally, but as a father who wanted his children to have dignity. Who had educated us so we could have that dignity.

He always said to us later—because there were those who wanted to have a plebiscite, to divide us—that no, we couldn't let ourselves be divided because the man who would argue about the independence of the homeland had no shame, either he was a fool or he had no shame. Albizu Campos taught me that the freedom of the homeland is not something to be argued about.

I always thought Don Pedro was beautiful, decent in his ways, counseling the women, advising the university youth. He met with them and always advised them for the good and worth of every man. And of every woman. He never let them go astray from the moral course. You know that in some things young people tend to vacillate. But he didn't let them fall. He had a very high moral sense.

The greatest thing I saw in him was that he suffered need. He was not a man who could accept bribes. The North Americans—that is, we call those of you who work for the common good North Americans and the others we call yankees—many of them came, prominent people from the USA, and he rejected them all. He suffered enormous material deprivation, but he could not be bought. For that he was respected by both friends and enemies. He had an extraordinary merit, that of constantly facing up to things.

We understood and valued these things about Don Pedro because of the conditions of our own lives. For example, I was very young and I had to tear myself away from slavery. I would leave one place and go to another because I was always rebellious. How could I resign myself to that life? We were the men and women of the suffering people. He made us open our eyes.

The women of the people worked in the sweatshops where they made clothing that went to the USA. I remember well that in that period I earned $1.50—a month, *compañera!*

And there were young girls who refused to do work with women who had tuberculosis, and they turned to prostitution, to being with a man for a few hours and going through life in that pattern. The man would beat them, they would try to get a man who would give them "a little respect" to "represent" them, but when they didn't bring enough in he would always beat them. The prostitute suffered even greater exploitation. A different exploitation but with the same causes.

> Many women are needed to struggle for the independence of Puerto Rico. The men in the movement should demand that their sweethearts and wives struggle too for the independence of the homeland...if they don't, they're not worth anything...because, in the end, if the men of Puerto Rico can't get independence, we the women are going to.
>
> Lolita Lebrón, from the federal prison in Alderson, West Virginia, USA, 1972.

V. SO I PICKED UP THE FLAG ALL COVERED IN BLOOD AND WENT ON WITH IT

Neither the colonial government nor its imperialist master could permit the activities of the Nationalists. In 1936 they made up a story about arms supposedly being found in the home of a Nationalist in Mayagüez and tried the whole leadership of the Party in a federal court. They convicted Albizu and the other leaders in July of that year; first they took them to Princesa jail on the island, and in June of the following year they took them to the federal penitentiary in Atlanta, Georgia. The crime was "conspiring to destroy by means of force the government of the United States in Puerto Rico"!

Ten years in Atlanta! That was the sentence. We couldn't take that affront sitting down. First we had a sense of country: we didn't recognize the imposition of the USA as our government. Second, the thing about the arms was a frame-up. We had to protest against the imprisonment of our leader and the other nationalist leaders. We were incensed, and the struggle was on in earnest. We had already suffered the murders in Río Piedras.*

Everything happened so fast, one thing after another. With the leaders in jail, the secretaries-general of the eight most important cities formed the Central Committee of the Party. The interim leaders told the cadets and nurses of the Liberation Army to go to Ponce to support a demonstration there; that following day we commemorated the abolition of slavery.

It was Palm Sunday of the year 1937. We left Mayagüez in rented buses…I remember they were red. Through the bus windows we saw other red buses pass by very close, the police buses, and the police were smiling as they went by. Of course they knew what was about to happen, but we did not.

The ride from Mayagüez to Ponce took about two hours. When we arrived we met in a house, waiting for someone to come for us. We saw police there too, on all sides, but we were used to that, to the police coming in and searching our houses. They had raided my house twice since Albizu had

---

* The Río Piedras killings occurred October 24, 1935, at the University of Puerto Rico in Río Piedras. Police opened fire on supporters of the Puerto Rican Nationalist Party. Four Nationalist Party members were killed, along with a bystander.

been in jail; they went through everything, bed by bed, looking for arms. So we didn't think about it particularly, even seeing so many police.

We gathered in the offices of the Nationalist Council. It was one p.m.. We saw our leaders arguing, coming and going. We learned later that they had gone to the mayor's office because he had given permission for the demonstration that day and a quarter of an hour beforehand he ordered the permit suspended. We learned too later that the governor and the colonel were in a village* near Ponce awaiting any developments, all according to their plan.

Finally our leaders gave the order and we all set out, women as well as men; at first it was agreed that the women would not go out but later they decided we would. Even today, Margaret, we have to fight for our right to struggle! When we formed ranks in the street the police were there too, in the order they had planned beforehand. Then we were on our way with our flags and all and a young girl said to me, "Ay, Dominga, look at their guns!" Poor thing, she was really scared. I told her, "Yes, I see them, but we have to go forward!" I don't mean to claim I wasn't afraid, Margaret, maybe I was... but more than anything I was angry.

So we went ahead, the Cadets of Ponce in front, those of Mayagüez next, and then the women, first those of Ponce and then us with our flags. They ordered the hymn, "La Borinqueña" to be played and we stood at attention when we heard it. It's very lovely. But I can't bear to hear it now because that was the first time I heard it. With "La Borinqueña" they saluted us and then Cadet López de Victoria said: "Eyes front, ready, forward march!"

When he said this he didn't know what was before us. We marched, and all the guns began to fire. I still don't know, Margaret, what happened that day, why I wasn't killed. I was out in the open, and I heard when they re-leased the safety catches on the machine guns. At that moment I looked and saw a lot of people throw themselves on the ground, because from a distance they were throwing tear gas bombs...I don't know where they came from. I felt strangled; the police must have felt the same way because they didn't have masks on that I can remember. As the bullets kept coming the ones in front kept falling. I ran across the street with a boy who was near me; everyone was running wherever they could to find safety and we ran for a house near there, the mansion of a sugar owner. We ran for it because it was the closest, and took shelter.

---

* Villalba

I didn't look at the police or at who was firing. I was running to save myself when I see someone* cross and fall wounded. And in that second I see the flag on the ground. So I picked up the flag, all covered with blood, and went on with it. I picked it up and went on my way. A cadet came by and asked, "Are you dead, *Doña* Dominga?" because I was staggering a bit...he grabbed me and we made for the house. It was closed, gate and all.

You know what we did? We linked arms and leaned against the wall and waited there for them to fire on us. And then one of the young men climbed up on the shoulders of another and jumped over the gate and opened the house...we went in like an avalanche. They had some big baskets there in which the laundrywomen would bring the linen every afternoon. We made the wounded lie down in the living room and we grabbed the towels and tore them up for bandages. That's how it was in that house.

When the lady of the house came in she was swimming in tears and said to me, "I spoke to my lawyer and he told me to let you stay." I didn't answer a word. I didn't have the breath to speak, but not for weariness, Margaret; I've never in my life felt such rage as then, and I've lived a lot of years! I don't know...I've never in my life wanted to have a gun to fire at anyone, but if I had had one that day...well, I wouldn't be here telling you about it because I would have shot that woman down.

We stayed there for about an hour. At the end of the hour the woman came and said the police were there inside the house and that we should leave because we were under arrest. Then she ordered the wounded to be taken away. They were removed and we went out and were taken prisoner. And there were the dead at my feet.

There were twenty-two dead. Twenty of ours and a policeman and a soldier. That's where the legend of the first shot got started. They say a policeman stood at attention and was moved when we saluted the flag, and the other cops shot him. That was the "first shot" that got so much press. They didn't want to tell the truth and they blamed that death on us. Impossible, because none of us was armed.

Look, we were young, and like young people we joked around a lot in the bus on our way to Ponce—although many of us were quiet as if we sensed that the day wasn't going to turn out well for us...we were a little worried, not like at other times. We were different. And then before our eyes the dead, torn to pieces at our feet...because they say that there they

---

* Carmen Fernández, who died in the gunfire

used for the first time those explosive shells that Mussolini had. A little girl who came to see the demonstration with her parents died too; she was ripped apart by a bullet.

Apart from the 22 dead there were many wounded. One of them, a young man*, wrote on a wall with his blood, "Long live the Republic! Down with the assassins!"

A year later the governor went to that same place to celebrate some sort of occasion and a man fired a pistol at him—this time he was armed!—but he killed an officer who was a bodyguard because the governor threw himself on the floor.

We spent the whole afternoon of the massacre in the police station. The entire people were united behind us. The lawyers didn't sleep in those days—nobody did, everyone running from one place to another. Later there was the Hays Investigation.** Mr. Hays, of the American Civil Liberties Union, came before our trial, because they were going to charge us with the murder of that cop...but Mr. Hays and his Committee arrived.

I for one found Mr. Hays a patient man; he wasn't in cahoots with anyone, no deals about anything. He came to see justice done, that was why he came to Puerto Rico. Let them say what they will, he sent for every one of us, to testify about what happened in Ponce. For there are some people so cynical as to say that Albizu was a fascist, and others said we provoked the fight, all those sorts of things...

Mr. Hays even interviewed the governor. They say that when he went to the palace to get the governor's statement he arrived there with all the journalists walking behind him. The governor was seated when he arrived, and put out his hand to greet him. Hays didn't give him his hand...that action meant a lot. There you go...also, after taking all the statements in San Juan, he left for Ponce and went to all the clinics and hospitals, for the

---

* This act is attributed to Bolívar Márquez because they found him nearby and his fingers all covered with blood.

** Arthur Garfield Hays, a North American lawyer with great prestige as defender of civil rights, had defended Sacco and Vanzetti, Tom Mooney, the Scottsboro boys, Harry Bridges, etc.. The Nationalist Party asked Hays to come to Puerto Rico to investigate the events of March 21, 1937. A Committee was set up, composed as well of the presidents of the Bar Association of Puerto Rico, the Athenaeum, the Teachers' Association, and the Medical Association; and the directors of the dailies, El Imparcial, La Correspondencia, El Mundo, and others. The Committee gave a report based on its investigation which was read in a public event held in the Plaza Baldorioty of San Juan, with more than 10,000 present. The report made perfectly clear that the whole responsibility for the massacre lay on the shoulders of the colonial government, and that it...was planned down to the last detail. (From La Masacre de Ponce by Angel R. Villarini, 1971.)

number of wounded was something tremendous. And he took declarations from everyone…

My turn to testify came one day at 2 a.m. and at that hour Mr. Hays gave no sign of being sleepy or weary. The place was packed with people from the university, intellectuals, everyone waiting for the statements. When it was my turn I just told what I saw, exactly and simply, and that I picked up the flag on my way. Then he said, "…and why if you were in danger of death, did you pick up that flag instead of running for your life?" and I answered, "Because my Maestro taught me that the flag of the homeland should never fall on the ground." He then asked me, "Who is your Maestro?" and I said, "Doctor Don Pedro Albizu Campos."

After that he would stand up whenever I passed by. And he wrote in the newspaper *El Mundo* something like this, "You have to see her, young, black, immutable in her dignity…" Mr. Hays ended his report with the words: "*This was a massacre!*"

> When we began our investigation we resisted calling our committee 'Committee to investigate the Ponce Massacre.' In order to talk about the Ponce tragedy, we used the terms *the case of Ponce, riot, disturbance,* or any other term that would show our will to be impartial. After hearing all the relevant testimony we have come to the conclusion that the people of Ponce have used the only possible descriptive term. This *was* the PONCE MASSACRE…
>
> Conclusions to the Hays Report, from *The La Masacre de Ponce,* p. 29.

I went to Mayagüez right away, and when I got home they told me I couldn't even have coffee—after not eating for 24 hours—they told me to go immediately to avoid the shame of having the police fleet come for me. They told me to go to the station, that they had come looking for me two or three times already. I went right away.

The prosecutor was there at the station. He seemed like a wild beast—you could hear his voice from outside. He yelled, "Come here, you're the…" He didn't finish…who knows what he meant to say. He said to me, "Come on, come over here," and took me into a small room and said, "Sit there. Bring in the police." The two cops looked more scared than I was.

They all looked at me. Then the prosecutor said, "You pay attention to what they're going to write." I just looked at him. The secretary said: "Yes, all right." then the prosecutor asked me, "O.K., tell me, what happened in Ponce?" I answered, "I don't know, I have no idea what happened there." "What do you mean you don't know?" he yelled at me in a terrible voice. And I said, "I don't know. I don't know." He said to me, "Weren't you in Ponce?" and I answered, "Yes, visiting around. That's legal, isn't it?" He started to scream, "You're a murderer, you with all your lawyers, you're a murderer! You killed officer Loyola!" I had to look up so I wouldn't have to see his face anymore and he said, "Get out! Get out!"

> In the late winter of 1937 the Nationalist Party protested the arrest and the imprisonment of Albizu. In most towns the authorities denied the Party permission to hold meetings and marches. But in Ponce, Albizu's birthplace, the Mayor granted a permit. The Nationalists planned a parade of the Cadets of the Republic and the Women's Auxiliary for Palm Sunday, March 21, 1937…150 policemen armed with machine guns, carbines, tear gas bombs, hand grenades and rifles arrived in Ponce and occupied the town… the flag bearer was shot and killed and the flag fell to the ground. Dominga Cruz Becerril, a young girl from Mayagüez, leapt from cover, ran to the flag, and raised it high…In the central square chaos descended on spectators and marchers alike…For ten minutes there was uninterrupted police gunfire. When the shooting stopped 20 people were dead and more than 150 wounded…*

> *Puerto Rico: The Flame of Resistance*, pp. 58-59.

---

* Dominga gives 22 dead (including the policeman) and a large number wounded. Different sources give different statistics. As far as the number of wounded goes, many did not get included in the "official" count because they were treated in private houses rather than risk going to clinics and hospitals. Juan Angel Silén, in his *Historia de la nación puertorriqueña* (1973), speaks of 21 dead and 200 wounded.

VI. THAT BUTCHERY DIDN'T KILL THE PEOPLE'S DESIRE FOR LIBERTY

After the massacre I was very uneasy and nervous. I went to work with the United Front that was formed, for that butchery didn't kill the people's desire for liberty; on the contrary, it increased it.

A little more than a month later, they took the prisoners to Atlanta and the United Front was formed.* I worked a bit, all that I could, but I found that I wasn't the same person; either I was too exhausted or too nervous, really unsettled. So I had to leave. They advised me to go to a psychologist and he told me: "Take some time off from your political work. What do you like, art or anything like that?" I told him I liked poetry, because that was what was always in me, and he told me, "Very well, listen to those waltzes that WPRA—a new radio station—plays; listen to them in the mornings while you make breakfast, that will calm your nerves. You're too nervous, quite ill...go to the theatre a bit, but nothing too sad or dramatic." So that's what I did. Every morning while I made a bit of breakfast I played Strauss waltzes; I enjoyed them a lot and they did me good. One day listening to the waltzes I heard the announcements of the new station starting in Mayagüez and I went there. I told them I knew how to recite, that they should give me a try, that I wanted to help them because they had so few artists. And they said, "O.K., let's see what kind of voice you have..."

I recited "La Rosa" by the brothers Álvarez Quintero: "There was a smiling garden, there was a peaceful crystal fountain, the purest of roses, and an old gardener who lovingly tended it, the rose held a precious treasure..." It's been a long time; I don't remember all the words...

Well, I worked there for a year; they liked my work and I was happy to do it. I earned almost nothing but I wanted to get the practice, and I was delighted. I was the star, what do you think of that! What a chance! Just me and the music. For example, after I recited a lyric poem they would put on a record of very pretty, melodious music, and then when I

---

* A movement formed in support of the nationalist prisoners

did some of the black poetry of Palés Matos—the greatest black poet in Puerto Rico—they would put on music that fit with that type of poetry.

The poetry of Palés reflected the pain of the black race, its ceremonies, its dances, its songs. I learned all about that working in the station, taking advice, going to the *bomba* dances in Mayagüez. And so on…until one day I went to San Juan. People told me I should go there where the intellectual world was. I had only two dresses to go out in—after the massacre I was a different woman—but I went to San Juan and began to recite in the Athenaeum, in the theatres. I was there for about two years, going and coming because I couldn't stay there all the time; it was too expensive to live there. Sometimes I stayed at a friend's house. I went back to Mayagüez but they invited me to do a lot of recitals in San Juan…that gave me a different kind of experience. The radio is one thing and the theatrical stage quite another; it's even more imposing.

I worked here and there, mostly in the schools, until one day in 1941 they gave a recital in my honor in the Central High School, a wonderful thing, and the wife of Albizu Campos came on a visit to Puerto Rico; she was traveling throughout the US working for Don Pedro and the other prisoners in Atlanta. When I went to see her the next day she said, "You shouldn't be just a local reciter; you should study, have more practice outside, to be able to go on any stage. You are destined to act on larger stages, to develop yourself even more. I'm going to speak to two or three teachers I know in Cuba and I'll write to you." And so she did. I had to go on struggling for the freedom of my people, as much as I could and by any road open to me. And in 1942 I left for Cuba…

VII. DON PEDRO SAID: DOMINGA'S INTERNATIONALIST CONSCIOUSNESS IS WAKING UP

In 1940 Puerto Rico was a rural society in crisis. The island was still trapped in the Depression. Sugar cane workers earned 15¢ an hour—when work was available. Tens of thousands of Puerto Ricans were unemployed, children were hungry, housing conditions were miserable. The U.S. stock market crash of 1929 and the economic crisis of the 1930s led to a decline in agriculture on the island. Plantations shut down; families migrated from the countryside to the cities, and from the island to the U.S., in search of work.

Puerto Rico: The Flame of Resistance, p. 63.

I was in Cuba until 1944. I studied. I lived with different families, ate very little…life wasn't easy. One of my brothers helped me stay long enough to learn what was necessary to improve my art. The Cuba of those days was nothing like the Cuba of today! No! I studied with Don Pedro Boquet, with Manuel Elósegui. I washed floors, worked in the houses where I lived, to support myself. I spent two years in Cuba like that and I learned quite a bit. Then I went back to Puerto Rico.

The Communist Party helped me a lot. With Don Pedro and the other leaders still in jail, the Nationalist Party was going through hard times. But the Communists helped me. They arranged recitals for me, in the theatre "La Perla" in Ponce, and the "Tapia" in San Juan. After the recital in the "Tapia" I had to leave Puerto Rico because I was persecuted too much. The head of the Communist Party, Dr. José Lanauze Rolón, told me, "You have to leave Puerto Rico. Through your art, your recitals, you can speak about what's happening on our island. It's the only way, and all the more urgent because we have to save you. They're watching you too closely." So that's how I went out into the world in 1945, and I didn't return to my country until 1976, when I was there for 4 months.

I lived for 16 years in Mexico: 6 in the capital and 10 working in Monterrey...it was during that time that the *compañera* Ruth Reynolds* wrote to me, inviting me to go [to New York] to see Don Pedro—he had gotten out of Atlanta by then—since I was in Mexico and could cross the border. So I did. I was in New York for 4 months.

I remember one night they invited me to recite in the Casa Hispanica at Columbia University. Don Pedro couldn't go with me because he was convalescing. He sent one of the *compañeros* who's now in prison**—I don't remember whether it was Irvin Flores or [Andrés] Figueroa [Cordero]— and another Puerto Rican woman to accompany me.

The place was packed when we arrived. There were North Americans, Latin Americans...in short, a very receptive audience. There in the Casa Hispanica they sit down on the floor like the North Americans do to hear the things they enjoy. It was such a pleasure for me!

When I got back after the recital Don Pedro wasn't in. They had taken him to a place that had better heating. But the next day I saw him and he had a newspaper, *La Prensa,* and he asked me: "Have you seen what they're saying about you?" The article was quite well done; it commented on every poem, the one by Palés, the *Balada de Simón Caraballo* by Guillén, which really touched people there. And they compared my voice with that of the black North American poet Langston Hughes. The article said that I was born to say that verse of Langston Hughes, "I, too, sing America."

Well, Don Pedro read that (he really liked to observe people, how they reacted) and he asked me, "What do you say about that?" I said it was all very well but that I didn't deserve to be compared to a great poet like Hughes. So he told me, "I sing to America...do you get it? *All* of America!" I said, "*All* of America, Don Pedro, ALL of America must some day be united and in peace."

He didn't say anything after that, and then he left, but later he said to one of the *compañeras* there, "Dominga's internationalist consciousness is waking up!"

---

* Ruth Reynolds was a North American woman dedicated to the Puerto Rican cause; she was close to Don Pedro Albizu Campos and took care of him when he got out of jail in the USA.

** Two of the "Five Nationalists"—Oscar Collazo, Lolita Lebrón, Rafael Cancel Miranda, Andrés Figueroa Cordero, and Irvin Flores—imprisoned decades for acts against the US government in 1950 and 1954. They were released in 1979 after an international campaign; Figueroa Cordero was released in 1978 because he was dying of cancer.

VIII. WITH SOCIALISM AND COMMUNISM THERE'S NO TURNING BACK!*

A great part of the burden of life in Puerto Rican communities is borne by women, triply oppressed as Puerto Ricans, as women, and as workers. On them falls the work in the factory and the work of the home, the problems of the children, the alienation of isolation behind four walls, the frustrations and emasculation suffered by their husbands under the system. More than 340,000 Puerto Rican women old enough to work residing in the USA are excluded from the work force. Victim of an inferior education in the colony as well as in the USA, the Puerto Rican woman, like other women of the Third World, is "programmed" to feel inferior before the Puerto Rican man as well as before the oppressor.

"Nueva Lucha," special issue of *Desde Las Entranas*, Partido Socialista Puertorriqueño, 1973, p. 18.

You ask about my ideological growth. Well, I've never been very religious. It's funny, I'm always fighting with religions. Since I was a small child, and then bigger, they knocked a little of the natural rebelliousness out of me and sent me to the Little Sisters of Charity to learn the Catholic catechism. I repeated it all from memory but I didn't understand it and it didn't interest me either.

Then, later, when I was older, I got interested in different things in Mexico. I heard some lecture they gave in Monterrey on spiritualism, a type of

---

* This was a sentiment many of us struggling for social equality shared in the 1970s. We believed our efforts to be irreversible. Even when we might have criticisms for policies in some of the socialist countries, we saw the world moving in that direction. Almost half a century later, that belief seems disingenuous. We have witnessed the implosion of much of the socialist world and in those countries that still call themselves socialist, the truth is their forms of government resemble state capitalism in many cases. We must accept the fact that capitalism has taken control once again. Today, for those of us who were so confident back then, it seems that the most we can hope for is preserving the revolution's principal gains in the areas of social welfare, healthcare, and education.

theosophy. I joined there, but I wasn't convinced. Then I studied Rosicru-
cianism a while. Later I joined the lodge of José Martí. Yes, there in Mexico.
I still have the letter...I liked that a little better; there was more freedom, at
last, something different. It wasn't like the religions that I had known, but
was a little more scientific and pleased me a bit more.

But Marxism, materialism, that's a whole other story. I won't try to tell
you that I understand a lot of it; I'm no theoretician, but I like it better. It's
the only thing that really suits me. I started at the Workers' University of
Mexico before coming here to Cuba. Also I had heard Fidel Castro and Che
Guevara speak. Laura Meneses, the wife of Don Pedro, took me to a meeting where they were, I think it was 1956. At that meeting they talked from
9 p.m. until 2 in the morning. That meeting and the Workers' University
had an influence on me later. With socialism and communism there's no
turning back!

> In the 1950's hundreds of textile mills descended on the island like
> a swarm of locusts. Thousands of Puerto Rican women who had
> worked at home in the needle trades went to work in factories
> sewing jeans and slacks for the New York market. They were paid
> 25¢ an hour—one third to half the wages paid to garment workers
> in the sweat shops of New York City in the early 1950's. They
> received few, if any, benefits and very little union protection. The
> rhythm of their lives was set by the timeclock, the assembly line,
> the sewing machine.

> *Puerto Rico: The Flame of Resistance*, p. 91.

I was telling you that a few years before Don Pedro's death I was able to
spend a few days with him. It was when Ruth Reynolds sent for me from
New York. Don Pedro was staying with a Puerto Rican family. But he was
very ill. He left Columbus Hospital, where they took him when he got out
of Atlanta, and there he spent pretty much the rest of his illness. I think
he was in the hospital for nearly two years. He was being taken care of by
those North American *compañeras* and sometimes they had him at Alamo's* house, where I went to see him—I lived in the same building—and
sometimes they took him uptown where the conditions were better.

---

* a Nationalist militant

I was very glad to be able to be near him before his death. He was so happy to see the transformation in me; now I was a *declamadora* of international note, you might say [she laughs], and one day he asked me to recite 3 or 4 poems. So I recited them; I gave him a little recital, just for him. He really liked the poetry of Palés. I also recited him one by Clara Lair of Puerto Rico, and another by a black poet.

When Don Pedro died I was already here in Cuba. It was 1965. I listened to all the cables. Those were difficult times; now things are a little better. But...well, I was alone in my house. A neighbor knocked on the door and sat down with me for a while. And a North American man came by to express his sympathy. But I'm used to going through a lot of things in life alone.

The struggle hardens people, Margaret, it prepares them to keep their feet firmly on the ground. I'm thankful for the struggle...I don't have anything else to wait for except the freedom of my people. After leaving this message for everyone, the only thing left for me is what people call "death." But *I don't believe in death!*

When Don Pedro died, our great Juan Marinello wrote: "Pedro Albizu Campos dies at the very moment when the peoples of America are rising up to carry out his mandate."

IX. EXCEPT IN CUBA, I'VE NEVER SEEN SUCH AFFECTION AS IN THE SOVIET UNION IN ALL MY TRAVELS

The Soviet Union and the socialist camp have always been present for all the heroic struggles of all peoples who have had to conquer their independence—in the midst of tremendous sacrifices—throughout these decades. In the heroic struggles of the Arab people for their independence, in the heroic struggles of the African peoples in what used to be the Portuguese colonies—in all these struggles, invariably, the Soviet Union and the socialist camp were there to help.

Fidel Castro, May 8, 1975.

In July 1963 I went to the Soviet Union. I was already living in Cuba but I had to go there for health reasons. I was feeling really ill; I'd been sick since Mexico. It was at that time that the custom got started for Latin American residents to go out and cut cane. One Sunday I wanted to go out but I came back very sick. I remember that a Czechoslovakian doctor saw me and the next day took me to the University Hospital where he worked.

They took x-rays and so forth...in fact I was seen in several hospitals—Comandante Fajardo, the Naval Hospital—and they took good care of me but there were differences of opinion about what exactly it was that I had. Some doctors said it was some kind of mass; others said something else. So then the first doctor, the Czech, said to me, "Dominga, why don't you write to the Committee of Soviet Women, and I'll write too." We did that and by return mail they answered me and put him in contact with a Soviet doctor to see the x-rays right away. And the Soviet Committee invited me to be treated in a hospital in Moscow, with all expenses paid. What marvelous people!

So I took the invitation to ICAP* and they arranged everything; all the

---

* ICAP: *Instituto Cubano de Amistad con los Pueblos*, Cuban Institute for Friendship with the Peoples, the Cuban organization that serves foreigners who visit or reside in the country.

paperwork was done quickly so I could go.

Just then they were going to have a World Congress of Women. So when I arrived at the airport in Moscow, Novikova, the wife of Novikov the minister—I had met her in Mexico and she greeted me with affection—and right away she said to me, "Dominga, more than anything we want to invite you to the World Congress of Women, to speak there." Imagine my joy, to be able to speak of all our sadness and all the battles we have had—like the fact that in our country one third of the women have been sterilized by imperialism!*—in a place as important as the Congress Hall of the Kremlin. Of course I said yes.

So first thing the morning after I arrived they took me to the polyclinic. And they saw me. The best specialists there were. Because they examine, well, from the toes up—they want to know *everything*. There were many medical women, among professors and women doctors. They started to do tests from the first day I arrived in Moscow. And they took me all over the city during the 15 or so days remaining before the beginning of the Congress. Meanwhile, they went on analyzing my condition, trying to find out what I really had...

Margaret, I've done my fair share of traveling, but except in Cuba, I've never seen such affection as in the Soviet Union in all my travels. Love for all the women who came from Australia, from Africa...They said to us, "We have suffered much and so have you; one who suffers understands one who has suffered." What else need I say?

The first thing that surprised me about the Soviet Union is how immense it is. Moscow is a city which you can see is in a huge country but it's so tranquil! And so big compared with the United States. When I went to New York the situation you see in the streets was terrible, you know. Life in Moscow is different, calm. It's admirable, how they've made such a beautiful thing, so peaceful.

Another time they took me to the Bolshoi. To see one of the world's most beautiful ballets. And then—I requested it—I wanted to see the mausoleum of Lenin. Since the massacre at Ponce I haven't been so moved by anything as I was on seeing Lenin. In the brief moment I was able to see him (be-

---

* During the 60's and 70's, the U.S. government promoted and funded widespread sterilization of women of color. Over a third of Puerto Rican women of childbearing age were sterilized in Puerto Rico and the diaspora. The practice was discovered by Puerto Rican physician Helen Rodríguez Trías, who launched a movement to end sterilization abuse. In 1978 the movement was successful in winning guidelines for federally funded sterilizations.

cause you pass by so quickly, there are so many people) I looked at him; I saw that man, that *compañero*, and I said, "It's as if he'd just eaten and was taking a nap!" That's how he looked to me. Then I said, "How is it possible that I'm here before a man who moved the whole world, who made such a great revolution!"

I went out lost in thought and I didn't see where I was going. Then one of the watchmen who are very young said something to the interpreter, I realized right away; he told her that she should be careful, I was walking very distractedly. Then the interpreter took my arm and I came back to earth a little. It was one of the strongest emotions I've ever had.

After that, the Congress: it was like seeing the world before one's own eyes. I saw women and men too, there were quite a few, from all the countries of the world. As if they had made a date beforehand, the whole world getting together all of a sudden...Since I'm very quick to start dreaming I thought of it as sort of like an appointment made a long time ago to celebrate something for peace. Valentina Tereshkova was there; she had been flying in space in those days—when I was in the hotel my interpreter told me that she was up there saluting the whole world, greeting everyone... and later she came to the Congress. They couldn't leave her alone, everyone wanted to kiss her, touch her; she looked so tiny to me, so slim, smiling, so simple, a truly *simple* woman, who didn't look like someone who had accomplished the enormous feat of going into the cosmos. I told her that Puerto Rican fighting women saluted her as a true messenger, who was proclaiming peace throughout the earth!

After the Congress there was a kind of reception in the Kremlin itself. And I danced. Not like here, their kind of dancing, see? They make a circle with their hands. I was standing there and they pulled me by the arm and brought me into the circle. Later they invited me to travel in the interior of the country, to see Volgograd or Leningrad. But I couldn't, by that time my legs were quite inflamed. So I said no, admit me to the hospital; I can't be here any longer. Right away they took me in. And they started to do more tests. They definitively concluded that what I had had was a small heart attack. They said I was worn out from a tremendous struggle, from my whole life. They said I had been battling for too many years. And I had withstood so much [she laughs]...I had withstood so much...

They put me to bed for three months, they wouldn't let me move. They said that was my problem, that I had struggled too much, that I had had other cardiac crises but had withstood them. For they saw I was strong.

I had survived those crises but now I had to stay in bed, and had to take great care. Then after three months in bed and one month spent outside— between sightseeing and the Congress—after those four months they sent me back to Cuba. I traveled by way of Prague, where I rested for two days. That's what I can tell you about the treatment I received in the Soviet Union. You can see that for all those things you can't just say "thanks," because it's impossible to say "thanks" for something so great…

X. IN THE *PEÑA* I FELT I HAD A CHANCE TO SPEAK BEFORE A NEW WORLD!

Throughout the 1960's Puerto Rico played a crucial military role in U.S. plans to prevent another "Cuba" from happening in Latin America. Atomic bombs and nuclear weapons were stored in ammunition depots on Puerto Rico, ready to be used when needed. The tropical rain forests on the island were used to train U.S. troops to combat guerillas. In 1965 25,000 U.S. troops stationed in Puerto Rico were sent to the Dominican Republic. They toppled the democratically elected government of Juan Bosch because it was leaning away from the orbit of the U.S. empire. And of course the U.S. wanted to prevent a revolution in Puerto Rico. Its military forces were used to intimidate and repress Puerto Rican *independentistas*. After the Cuban Revolution Puerto Rico became a home for 30,000 Cuban exiles…With the assistance of the CIA some of them formed Alpha 66, a right-wing military group that carried out bombings and assassinations, not only against the Cuban government but the Puerto Rican independence movement too.

Puerto Rico: The Flame of Resistance, p. 96.

Cuba? I came in precarious conditions, almost fleeing, because I was very active in Mexico. I did a lot of work for Mexican solidarity with Cuba. In 1960 we had to really work hard in the Central American and Caribbean Women's Union. There was a conference…I was also at the Workers' University. My work was heavy and then they began to persecute me. That was when I had to take refuge in this generous country, Cuba. It was in 1961…

They gave me work here right away. I worked in Culture. They put me to work with workers, explaining revolutionary poetry, going to factories, reciting and explaining…That's how it was until I got sick. Now I've been here many more years…That habit the calendar has of marking the 31st of December, the 31st of December…it's too much, too fast! And all my illnesses came out. The ones I had hidden all came out [she laughs]. And the government, seeing I could do no more, invited me to rest and gave me a pension.

Every year March comes, and it's remembering again: remembering Ponce, the dead, my *compañeros*. March always brings very strong emotions for me. And every year there are commemorative ceremonies; there have been some very good political activities in Mexico, in New York, all over, and I've participated in many of them. Of course, here in Cuba everyone remembers the date. But I want to tell you about a memorial this year, because it was something different, very great. Very great indeed.

I had heard about the Literary *Peña* in Lenin Park, but I didn't know exactly what it was. I couldn't imagine what it was. Garzón, Teresita, and Lydia* brought me there and said, "This is the *Peña*..." and I saw enormous stones, one stone that they call "the throne," trees, moss, *yagruma* trees, well....Everything was like a magic spell for me! It reminded me of when I was a little girl, reciting poetry among the trees by the river...

There I understood that they had brought me to a peaceful spot where I could be as if in a dream. I heard Garzón recite, I heard the voice and guitar of Teresita Fernández, everything was very beautiful. I've been in great theatres, seeing celebrities, but this seemed to me something different, something...I don't know—like a dream! I felt peace in that place, the trees protecting us, the stones giving us their seats, something very beautiful and grand. And there was a great crowd of people. All had come to give homage to Ponce.

I was as happy as could be. I don't know if you know what I mean...happy in spite of the pain, because in the *Peña* everything was truly poetry! There were Cubans there, of course, and also people from elsewhere, a delegation, I don't know if it was German or North American. Some women came over to where I was and talked to me of the struggle all over the world, and of the peace that should reign in the world.

Another Sunday I went to the *Peña* again. There was poetry; there was song. The *compañero* who was the delegate of the mission of the Puerto Rican Socialist Party here in Cuba spoke; some others spoke...That day I spoke, half happy and half sad, I was to talk about the massacre, and when I got up to speak, Margaret, I wasn't myself. I was something else entirely.

---

* Francisco Garzón Céspedes and Teresita Fernández, poet and troubadour respectively, Minstrels of the Literary *Peña* of Lenin Park in Havana; Lydia Pedroso served as administrator of the Literary *Peña* and of the Art Gallery of the Park.

I saw Puerto Rico as it was before, the *muchachos*…the martyrs…lying on the ground…and I got so inspired! In the *Peña* I felt I had a chance to speak before a new world! And that's why I spoke the way I did.

Later everyone there came up to me one by one with flowers and gave them to me. What a great memory!

XI. I HAVE A LOT OF FAITH IN MY PEOPLE

I want to see the situation in Puerto Rico as a nation made clear before the world. I want to see that I am horribly offended when I hear about steps toward statehood for Puerto Rico. Statehood would mean our total destruction, as a nation, as a people; and those of us who have always struggled for this ideal and those young people who are just now rising up, will never accept this imposition on the character, the soul, and the consciousness of Puerto Rico.

Lolita Lebrón, in Alderson, West Virginia;
interview 1972.

In 1976 I went back to Puerto Rico. I wanted very badly to return, because it is my homeland and I have more than 30 relatives there; in short, I wanted to see my family. I've spent a lot of years in exile, running from one place to another, sometimes suffering hunger, sometimes better off. I was afraid death might take me by surprise without having seen my country again. So Cuba helped me go back, but they also arranged for me to come back here, for now this is my home.

I was there for 4 months. Puerto Rico made me enormously sad. It's a wounded nation, but wounded in a very subtle way, different from when I lived there. Now there's more unemployment, and none of the food is grown in Puerto Rico, very little. Almost all of it comes from California or Santo Domingo. Well, it's a disaster. Because of the yankees, Puerto Rico is what you call a *disaster!*

When Albizu was around it was an open struggle. The yankees said, "We'll make war on you!" and we said, "O.K., let there be war then!" Now the struggle continues...the Puerto Rican Socialist Party, the Communist Party, all the *independentistas*...of course times have changed and the struggle takes on other forms. The battle today is even more difficult. But it's going on and it'll keep going on until victory. I have a lot of faith in my people.

XII. THE STRUGGLE CONTINUES!

There's something, a memory...I can't get it out of my head. Don't think that I wonder about things too much. No. This is something important, because it woke up something hidden in me that I still hadn't understood. It happened here in Cuba. It was a get-together that ICAP arranged for Mother's Day.

I was invited more than anything else to recite a poem, that's why I was invited; they didn't invite me as a mother, they invited to participate and recite to the others. And when they began to give out the flowers to the mothers of the martyrs, all of a sudden a boy of about 12 years came out from over there, behind where the flowers were—it seems he was putting them together one by one in bunches—and he came up to me and said: "Take these, Dominga, for they killed your children at Ponce!"

It was such a strong memory that he evoked in me!

In that moment I saw those boys, my *compañeros* who went to Ponce with me, joking because we were young, joking...and then I saw them...I've never been young again, Margaret, since that moment; I've never gotten back that youthful joy! No, I've never felt it again.

And all that he evoked with that gesture and those words.

I saw them lying at my feet, all of them, with their bellies open...and it seemed like they were talking to me, as if they were saying that I was thoughtless, that I didn't consider them *as he did*. And it woke me up! It was like a bell ringing to wake this woman up even more! A bell that will always be ringing! So I might understand once and for all my true mission! Thanks to that child...let the good he has done me be with him all his life!

The flag fallen in Ponce and raised up in Ponce was in my hands once again.

It was youth awaking the older generation. The continuation of everything.

Because as they say in Africa: the struggle continues!

Translated by Christina Mills

EPILOGUE

P uerto Rico remains a colony today, still reeling from the destruction of Hurricane Maria, the Category 5 hurricane that ravaged Puerto Rico September 20, 2017. Regarded as the worst natural disaster on record to affect Puerto Rico and Dominica, Maria left Puerto Rico without potable water and electrical power for nearly a year (still a problem in mountain areas), disrupted telecommunication and transportation, and caused extensive damage to homes, public buildings, roads, bridges, and the country's already-ailing health care system. The U.S. government and its colonial representatives on the island claimed only a small number of people died from the hurricane, but studies revealed that between 3,000 and 4,645 people perished in the wake of the hurricane and the governments' shamefully incompetent response.

The disaster of Maria, and the U.S. government's paper-towel-tossing reaction to it, followed decades of deadening colonial policies like the Jones Act and reckless vulture capital investment practices that gave rise to full-blown economic disaster, saddling Puerto Rico with over $70 billion in unpayable debt. The massive debt is characterized by many Puerto Ricans and observers as *odious*. This legal term considers colonial policies, irresponsible investment practices, and widespread corruption as architects of the debt, and therefore responsible for it, rather than the Puerto Rican people.

The U.S. government's response to worried investors was the passage in June 2016 of the Puerto Rico Oversight, Management, and Economic Stability Act (PROMESA), which installed an unelected Fiscal Control Board, known as the *Junta*, to "oversee restructuring" of the debt. In practice, the *Junta* has focused on implementation of austerity measures that include proposed cuts in pensions, the closure of 200 schools, reduction of basic social and health services, limits on workers' rights, infringement of the right to protest, and numerous other economic and political assaults on the island's people. Popular demands for an audit of the debt, to discover exactly who and what are responsible, have been ignored. A call for debt forgiveness has repeatedly been put forward by economists, celebrities, elected officials, and activists on the island and worldwide.

In the midst of it all, the Puerto Rican people continue to work tirelessly and with pride to recover from Maria's destruction, to protest the misery that the Junta's recommendations would bring about, and to carry on the fight for freedom from colonial domination.

There have been important victories. The decades-long battle to get the U.S. Navy out of Vieques, and end over a half-century's use of Vieques for U.S. bombing practice, involved a broad united front of a wide range of sectors, institutions, and individuals in Puerto Rico and around the world. After years of demonstrations and extensive civil disobedience, the united effort won the Navy's exit from Vieques on May 1, 2003.

A similar united front was built in the campaign to win the release of political prisoner Oscar López Rivera, whose sentence was commuted by Barack Obama on January 17, 2017; he was released May 17, 2017. Incarcerated for nearly 36 years, López Rivera was the last to be freed of a group of political prisoners arrested in the 80s and charged with "seditious conspiracy," the "thought crime" of wanting to see Puerto Rico free from foreign domination. The campaign to win López Rivera's release united Nobel laureates, religious leaders, trade union leaders, and global heads of state with activists from a range of movements in activities that demonstrated remarkable creativity, imagination, and love.

These two great national victories drew upon and contributed to the growth and diversity of popular movements in Puerto Rico. In addition to the *independentistas*, among those that have flourished are united efforts of students and women, environmentalists, agroecologists, LGBTQ people, diverse cultural sectors, and those of African descent.

The Afro-descendent movement, which identifies and affirms the African roots of peoples and cultures, has grown dramatically in Puerto Rico and throughout the Americas. In Puerto Rico it embraces African contributions to music, poetry, literature, sciences, language, and culinary arts, while proclaiming the Afro-descendancy of prominent Puerto Ricans today. It also exalts the ancestors of today's movement, those Afro-descendent patriots who left a mark on Puerto Rico's history, like Pedro Albizu Campos.

And Dominga de la Cruz.

***

Dominga de la Cruz Becerril died on November 25, 1981 in Havana, Cuba at the age of seventy-two.

Dominga's story has been shared by many people over the past four decades. These include Dominga's contemporary, Juan Antonio Corretjer (*Re: Mujer boricua*, 1997), and Margaret Randall (*El pueblo no sólo es testigo. La historia de Dominga*, 1979). Most recently Olga Jiménez de Wagenheim's *Nationalist Heroines: Puerto Rican Women History Forgot, 1930s-1950s* (2016) utilized Randall's work for a chapter on Dominga.

Today the wooden building on Marina Street is marked; it houses the modest *Museo de la Masacre*. Yet most people in Puerto Rico and the United States have never heard of the heroine who "picked up the flag at Ponce."

Margaret and I first envisioned making Dominga's story available to English readers in 1979. Our search for a publisher began in the Reagan years, when the U.S. government unleashed new waves of repression on the Island and in the United States.

Many things delayed the realization of our vision. Urgent priorities emerged, when the battle to remove the Navy from Vieques intensified, and when a new generation of Puerto Rican patriots was imprisoned, requiring an extended battle for their release. Life, too, intervened, with grave illness and single parenting and earning a living. In the world of publishing, the project stalled repeatedly, as publishing options again and again looked promising, only to fall through, often after a substantial investment of time.

We decided, finally, to publish it ourselves, believing that Dominga's story is needed now more than ever. We decided it had to be a bilingual edition, because the original Spanish version has been out of print for decades, and it is indispensable that Dominga's story be accessible to Spanish and English readers alike.

What you have in your hands is the product of solidarity and persistence. It is essential reading today, to educate not only about Dominga and the Ponce Massacre, but Puerto Rico's reality overall. We hope that for readers around the world, Dominga's story will illuminate and inspire, and encourage the solidarity that Puerto Rico so urgently needs.

Mariana Mcdonald
Atlanta, Georgia
January 2019

ABOUT THE AUTHORS

Photo: Juan Pérez

Margaret Randall (New York, 1936) is a poet, essayist, oral historian, translator, photographer and social activist. She has published more than 120 books of poetry, essays and oral history. Among her poetry collections are: *Their Backs to the Sea, As If the Empty Chair / Como si la silla vacía, She Becomes Time, About Little Charlie Lindbergh and Other Poems*, and *The Morning After: Poetry and Prose for a Post-Truth World*. Her selected poetic works, *Time's Language: Selected Poems 1959-2018*, was published in 2018 by Wings Press. Randall lived in Latin America for 23 years (Mexico, Cuba, Nicaragua). She received the 2017 *Medalla al Mérito Literario* from *Literatura en el Bravo*, Ciudad Juárez, Mexico. In 2019 she was given the "Poet of Two Hemispheres" award by *Poesía en Paralelo Cero* in Quito, Ecuador, and that same year Cuba's Casa de las Américas awarded her its prestigious Haydée Santamaría Medal. A memoir titled *I Never Left Home: Poet, Feminist, Revolutionary*, is forthcoming from Duke University Press in 2020. In May 2019, Randall was awarded an Honorary Doctorate from the University of New Mexico, Albuquerque. For more on Margaret Randall visit her web page at www.margaretrandall.org

ABOUT THE AUTHORS, *cont.*

Photo: Andrés Feliciano

Mariana Mcdonald is a poet, writer, scientist, activist, and *independentista*. She is coauthor and editor of *Dominga Rescues the Flag*. Her literary work has appeared widely, including poetry in *Crab Orchard Review* and *The New Verse News*; fiction in *So to Speak* and *Cobalt*; creative nonfiction in *Longridge Review* and *HerStry*; and nonfiction in *In Motion*. She was lead editor of Oscar López Rivera's 2017 International Latino Book Award-winning bilingual memoir *Cartas a Karina*. She has published over 100 scientific articles, including the classic "Using the Arts and Literature in Health Education," and has received numerous awards for her public health work. Mcdonald is active in social justice movements and the writing community.

CONTRIBUTORS

Jane Norling

Jane Norling is a painter, muralist, poster artist and graphic designer applying her art to build justice. In 1973, as a member of San Francisco publishing collective Peoples Press, she worked in the Havana design department of OSPAAAL—the Organization of Solidarity of the People of Asia, Africa and Latin America—where she designed an internationally distributed *Day of World Solidarity with the Struggle of the People of Puerto Rico* poster for *Tricontinental* magazine. For close to 50 years, her visual art advocacy has contributed to the quality of life for Californians and communities throughout the United States.

Christina Mills

Christina Mills translated *El pueblo no sólo es testigo. La historia de Dominga* into English. She has lived and worked in Latin America and Canada as a teacher, youth worker, translator, editor, health educator, physician, and public health practitioner. Now retired, she lives in Canada and Chile, and hopes to dedicate more time to writing poetry and creative nonfiction.

ACKNOWLEDGMENTS

The creation and publication of this bilingual volume about the extraordinary Dominga de la Cruz would not have been possible without the assistance and cooperation of many people in Cuba, Puerto Rico, and the United States who helped *Dominga Rescues the Flag/Dominga Rescata la bandera* become a reality.

In Cuba, we thank the Organización de Solidaridad con el Pueblo de Asia, África, y América Latina (OSPAAAL) and Eva Dumenigo of OSPAAAL.

In Puerto Rico, we thank Neftalí Garcia and Angel R. Villarini.

In the United States, we thank Nelson Denis, Olga Jiménez de Wagenheim, Ken Dominguez, Lares Feliciano, Alejandro Molina, and the late Ramón Feliciano. We also thank Eva de Vallescar for help with translation into Spanish.

Last, but absolutely not least, *Dominga Rescues the Flag/Dominga Rescata la bandera* could not have happened without the labor of dedicated transcriber Andrés Feliciano, whose efforts made it possible to work with manuscripts prepared long before the digital age.

PHOTOS

•

FOTOS

General Assembly of the Nationalist Party held in Caguas December 8, 1935. Dominga de la Cruz is seated second from the left, between her compañeros Juan Antonio Corretjer and Pedro Albizu Campos. From the book *Imagen de Pedro Albizu Campos.* Instituto de Cultura Puertorriqueña, San Juan, 1973.

Asamblea General del Partido Nacionalista celebrada en Caguas el 8 de diciembre de 1935. Sentada, en segundo lugar de izquierda a derecha, aparece Dominga de la Cruz entre sus compañeros Juan Antonio Corretjer y Pedro Albizu Campos. Del libro *Imagen de Pedro Albizu Campos.* Instituto de Cultura Puertorriqueña, San Juan, 1973.

Photo taken during the Ponce Massacre, March 21, 1937.

Foto tomada durante la Masacre de Ponce, 21 de marzo de 1937.

Photo from the period when Dominga de la Cruz gave a great number of poetry recitals in Puerto Rico. Original by Gil Studios, San Juan.

Foto de la época en que Dominga de la Cruz ofreció una gran cantidad de recitales poéticos en Puerto Rico. Original de "Estudios Gil", San Juan.

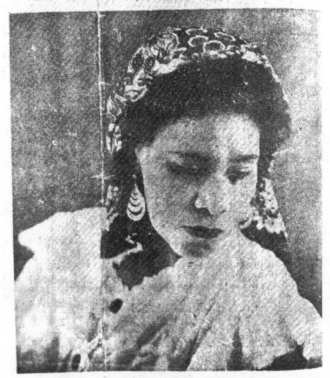

Program from farewell recital given by Dominga de la Cruz April 5, 1945, in the Teatro, Tapia, San Juan, Puerto Rico.

Programa del recital de despedida de Dominga de la Cruz, Teatro Tapia, 5 de abril de 1945, San Juan, Puerto Rico.

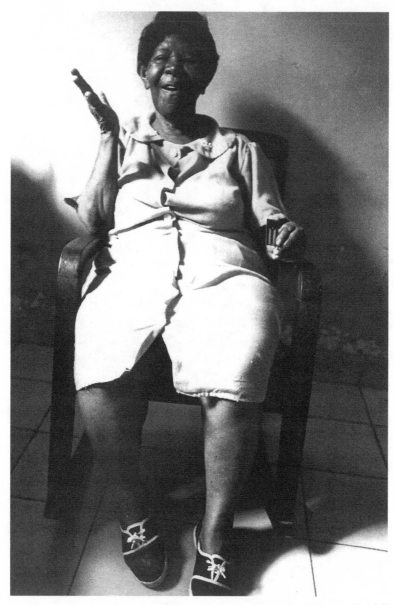

Photo of Dominga de la Cruz taken in Havana by Margaret Randall in the seventies.

Foto de Dominga de la Cruz tomada por Margaret Randall en La Habana en los años setenta.

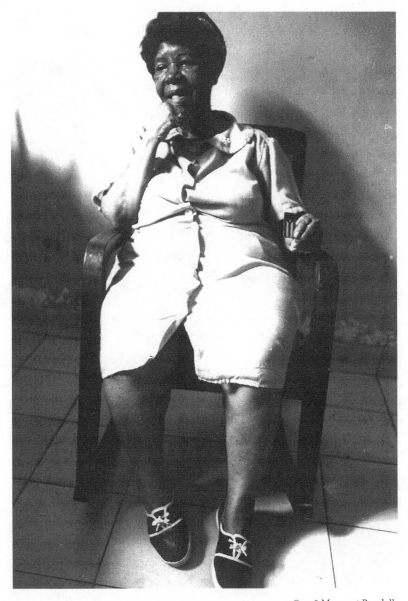

©1978 Margaret Randall

Photo of Dominga de la Cruz taken in Havana by Margaret Randall in the seventies.

Foto de Dominga de la Cruz tomada por Margaret Randall en La Habana en los años setenta.

©1978 Margaret Randall

Photo of Dominga de la Cruz taken in Havana by Margaret Randall in the seventies.

Foto de Dominga de la Cruz tomada por Margaret Randall en La Habana en los años setenta.

DOMINGA
RESCATA LA BANDERA

MARGARET RANDALL

y

MARIANA MCDONALD

ÍNDICE

INTRODUCCIÓN

El sol pegaba fuerte en Ponce cuando nos dirigíamos a visitar el lugar de la Masacre de Ponce de 1937. Deambulamos por caminos cubiertos de grafiti con críticas al gobierno colonial como *"Gobierno de Romero—criminal y antiobrero"*, mientras buscábamos la calle con la casa de madera, un hito de este episodio histórico. Momentos antes, caminamos por el Parque de Bombas de Ponce, con su estación de bomberos pintada cuidadosamente en rojo y negro construida en 1883 y mantenida en perfecto estado. Pero el lugar de la masacre, ese momento en la historia de Puerto Rico en que el pueblo puertorriqueño confrontó directamente la barbarie del colonialismo estadounidense, no estaba marcado por un signo ni una placa. Solo buscando se llega a la calle Marina. La apariencia de la casa vieja deteriorada por el clima captura la imaginación en un instante y nos devuelve a ese domingo sangriento, cuando cientos marcharon por la calle Marina por amor a la patria. Cuando las balas retumbaron ese día, una joven mujer no se preocuparía de su propia seguridad sino hasta que el símbolo de su país, la querida bandera puertorriqueña, recibiera el respeto que merecía. Dominga de la Cruz saltó desde donde estaba a salvo para recoger la bandera cuando su portador fue baleado y asesinado. Por ese instante de valor, Dominga se ganó un lugar en la historia, así como también persecución, exilio y dolorosos recuerdos de por vida al ver a sus camaradas ahogarse en sangre.

El peregrinaje al lugar de la masacre ocurrió unos cuantos meses después de conocer a Dominga en La Habana, en el verano de 1978. El sol brillaba en las calles de La Habana aquella tarde de agosto, cuando Margaret y yo partimos del 11avo. Festival Mundial de la Juventud y los Estudiantes para visitar a Dominga de la Cruz, "la que alzó la bandera en Ponce." Las calles de Vedado lucían un verde frondoso. Subimos varios escalones que nos conducían al apartamento de Dominga. Enseguida una voz placentera y amigable nos dio la bienvenida en su humilde hogar.

Conocer a Dominga fue mágico. Había estado enferma y necesitaba reposo, pero no daba señales de ello. Solo lo notamos por la presencia de un joven que vino para ver cómo seguía. Este nos preparó una limonada mientras comenzábamos a platicar. Dominga es una narradora natural de historias. Hablamos del festival y cómo representaba, en sus palabras, "una nueva era". Hablamos de la compañera Isabelita Rosado, quien había cuidado de Dominga y recientemente fue la oradora de honor en un congreso de mujeres en Estados Unidos. Con gran entusiasmo, Dominga nos contó sobre su visita al héroe nacionalista puertorriqueño Andrés Figueroa Cordero, invitado de honor del festival. Andrés se hospedaba en el Hospital Fajardo, cercano a su casa, y Dominga lo fue a ver. Fue al mismo tiempo en que Fidel le rendía una visita al héroe. "¡Imagínense eso!", dijo con su típica manera natural, encantada de compartir su alegría.

La conversación pasó a ese domingo en Ponce, a día de la terrible brutalidad que Dominga sobrevivió. Al pedirle sus comentarios, ella respondió: "Bueno, compañera, preguntarme sobre la masacre es más o menos lo mismo que preguntarme sobre mi vida, porque mi vida entera comenzó ahí de nuevo". Cuando le preguntamos acerca de la conexión entre la masacre y los asesinatos de dos jóvenes independentistas que habían ocurrido recientemente en el Cerro Maravilla, ella respondió: "En esta lucha puertorriqueña, no nos separamos del pasado, ya que es un todo. Comenzó en Lares, cuando se formó la nación, y Hostos y otros la continuaron. Es una secuencia, un todo".

Es una secuencia donde los valientes se destacan como estrellas fugaces. Al preguntarle sobre su acción y su valentía, la respuesta de Dominga fue simple: "Cumplí con mi deber". Las palabras de Dominga hacen eco del valor de innumerables patriotas puertorriqueños que han resistido la dominación colonial durante siglos, primero contra el gobierno español, que diezmó a la población taíno de Borinquen y enraizó la esclavitud, y continuó con la invasión estadounidense de 1898.

La dominación española de Puerto Rico, una nación formada con sangre taína, española y africana, dio origen a rebeliones en el siglo XIX. Para 1868, la resistencia había desarrollado un carácter nacional coherente, cuando se proclamó la nación puertorriqueña en el histórico levantamiento del Grito de Lares el 23 de septiembre. "¡Despierta, borinqueño, que han dado la señal!", escribió la poeta revolucionaria puertorriqueña Lola Rodríguez de Tió en lo que se convirtió en el himno nacional de "La Borinqueña". El levantamiento armado en Lares fue una victoria decisiva ideológica y política para la causa de la independencia de Puerto Rico.

El espíritu de Lares prosperó los años siguientes a 1868 cuando la crisis del colonialismo español condujo a un nuevo período de la historia de la humanidad: el imperialismo estadounidense. Aprovechando la posición debilitada de España y en busca de materias primas, mano de obra barata y nuevos mercados, Estados Unidos invadió Puerto Rico. Tomando la isla por la fuerza, como botín de la guerra con España, Estados Unidos comenzó la ocupación ilegal de Puerto Rico el 25 de julio de 1898.

"...Los yanquis llevan cincuenta y dos años de guerra contra la nación de Puerto Rico y jamás han adquirido un derecho en Puerto Rico, ni existe ningún gobierno legal en Puerto Rico, y eso es incontestable. Habría que derrumbar todo el derecho político del mundo, todo el derecho internacional del mundo, para convalidar la invasión de Estados Unidos en Puerto Rico y la presente ocupación militar de Estados Unidos en nuestro territorio nacional", declaró Pedro Albizu Campos, líder del Partido Nacionalista. Fundado en 1922, el partido se convirtió en una fuerza dinámica bajo el liderazgo de Albizu Campos, un negro joven puertorriqueño de Ponce, brillante y carismático.

Poco después, Estados Unidos comenzó a temer el potencial de los nacionalistas para responder a la creciente crisis económica y política de la isla. El gobernador designado por Estados Unidos para encargarse de la tarea de derrotar a los nacionalistas era el general Blanton Winship, un militar de origen sureño. El primer paso que dio Winship en su plan de guerra total contra los nacionalistas fue nombrar al coronel Francis Riggs, un experto en contrainsurgencia, para el puesto de Jefe de la Policía de Puerto Rico. Riggs no intentó ocultar su tarea; se jactó de los planes para "hacer la guerra" contra los nacionalistas. Y les hizo la guerra.

"Duérmete, mi niñito, que viene Winship, viene con carabinas, viene con rifles", escribió el poeta nacional de Puerto Rico Juan Antonio Corretjer en su "Canción de cuna" en 1937. El movimiento nacionalista creció a medida que la gente veía a Albizu Campos como la encarnación ardiente de la conciencia puertorriqueña. Su insistencia en un Puerto Rico independiente tocó una fibra resonante en el pueblo puertorriqueño, que sufría de pobreza extrema y degradación. Muchos vivían una vida como la que Dominga ahora nos comparte, a "pan viejo y café prieto", sufriendo de enfermedad y desnutrición, trabajando largas jornadas en los cultivos de caña y las fábricas. La gente se inspiró por las palabras del hijo de Ponce con apariencia de santo, cuyo estilo de hablar directo y brillante, como Dominga dice, "¡se libró del mito de que los yanquis eran una suerte de dios!" Es por esto que el Maestro, como Dominga lo bautizó, y su partido, fueron considerados por el gobierno estadounidense como una amenaza que había que enfrentar con una feroz represión, represión que alcanzó nuevos niveles de violencia con la masacre de Ponce, cuando 21 personas murieron y 200 resultaron heridas.

La manifestación de ese domingo en 1937 fue convocada por los Nacionalistas para conmemorar el fin de la esclavitud y protestar por el encarcelamiento de sus líderes, condenados a prisión en 1936 en juicios fraudulentos. Albizu Campos y otros fueron sentenciados a 10 años de prisión en Atlanta, Georgia. Una nube de represión arropó la isla al prohibir las manifestaciones en un intento por acabar con las demandas de libertad de los líderes nacionalistas. El partido decidió realizar una manifestación de protesta. Pese a la prohibición, el alcalde de Ponce otorgó permiso para la marcha, solo para desdecirse aduciendo órdenes de Winship a menos de una hora de que comenzara. Los organizadores no vacilaron; marcharían con o sin permiso. Los Cadetes de la República y el Cuerpo de Enfermeras de la República se mantuvieron en sus puestos en preparación a la protesta.

Al comenzar la marcha, hubo un disparo de bala contra la multitud. Una sola bala se convirtió en una balacera y, durante quince minutos, las tropas apoyadas por Estados Unidos dispararon contra manifestantes, nacionalistas y transeúntes que salían de la iglesia en ese Domingo de Ramos. El horror de esos minutos quedó marcado para siempre en las páginas de la historia de Puerto Rico y de la historia de las Américas. Aun aquellos que no tenían objeciones al estatus colonial de Puerto Rico y las formas de acaparamiento de tierras del imperialismo estadounidense, admitieron que fue una masacre.

Antes de que se secara la sangre en la calle Marina, Winship y sus tropas comenzaron a ejecutar las órdenes estadounidenses de arrestar a todos los participantes, argumentando que la violencia fue provocada por los nacionalistas desarmados. Pero la verdad sobre la masacre pronto llegó al Congreso de Estados Unidos. El 14 de abril de 1937, el congresista John T. Bernard ofreció su testimonio ante la Cámara de Representantes: "Dispararon contra hombres, mujeres, niños, nacionalistas, no nacionalistas, manifestantes y personas ajenas a la marcha, como los que salieron corriendo. La policía los persiguió, les disparó y golpeó en las entradas de las casas...Una niña de siete años, Georgina Vélez, recibió un tiro en la espalda cuando corría hacia una iglesia cercana...Carmen Fernández, de 35 años de edad, resultó gravemente herida. Cuando cayó al suelo, un policía la golpeó con su rifle diciéndole 'Toma esto, por ser nacionalista...'". Si bien la violencia de Winship ordenada por Estados Unidos aterrorizó a muchos, la brutalidad a sangre fría de la masacre solo sirvió para fortalecer a los que continuarían con la lucha.

La segunda guerra mundial devoró la atención mundial y marcó una nueva fase en la hegemonía estadounidense; el caos en Europa alentó la consolidación del poder de los Estados Unidos. Puerto Rico fue convertida en una virtual base militar, expulsando a miles de puertorriqueños de sus casas en la isla de Vieques cuando la Marina asumió el control de la isla para sus maniobras de entrenamiento militar. En 1947, el gobierno estadounidense comenzó la "*Operation Bootstrap*" ("Operación Manos a la Obra") diseñada para convertir a la Isla en un paraíso para la inversión de capital y un "escaparate" para Latinoamérica. El proceso de transformación de la economía de Puerto Rico llevó al desplazamiento de cientos de miles de campesinos o *jíbaros* del campo a la ciudad. "El negrito bonito se va pa' San Juan, buscando trabajo, buscando más pan," escribió el poeta puertorriqueño Roy Brown. "No sabe en serio qué va a hacer, pero esto sí sabe: no va a volver…".

Las ciudades de Puerto Rico no ofrecían sustento, dando comienzo a la emigración masiva de puertorriqueños. La ruta del campo a San Juan y a Nueva York o a Chicago o Boston, la recorrieron innumerables boricuas que sufrirían las peores condiciones de vida de las ciudades estadounidenses junto con el racismo y las amenazas a su idioma y su cultura. Al mismo tiempo, otro frente se consolidó en la lucha por la independencia de Puerto Rico. Desde los años 40, el Partido Nacionalista estaba activo en Nueva York, movilizándose para liberar a sus líderes. Miembros de la diáspora jugaron un papel fundamental en los '50s, cuando Estados Unidos intentó sofocar a los nacionalistas de una vez por todas. Al descubrir los planes para aniquilarlos, los nacionalistas lanzaron una insurrección armada en toda la Isla. El 30 de octubre de 1950, comenzó el levantamiento en Jayuya, donde Blanca Canales dio órdenes para atacar el cuartel de la policía. La ciudad fue tomada, y Canales proclamó la Segunda República de Puerto Rico.

Estados Unidos respondió bombardeando Jayuya y con una ofensiva irrumpiendo con sus efectivos de la Guardia Nacional en ciudades y pueblos para dar inicio a una ola de arrestos masivos. La policía rodeó la casa de Albizu Campos y durante tres días intentó hacer que el líder nacionalista se rindiera. Solo después de un ataque con gas lacrimógeno la policía irrumpió para arrestarlo. En los noticieros estadounidenses, el levantamiento fue descrito como "disturbios locales", y prevaleció una virtual censura. Para atraer la atención mundial hacia Puerto Rico, los miembros del partido, Oscar Collazo y Griselio Torresola, atacaron la mansión del presidente Truman. En el ataque, Torresola resultó muerto; Collazo fue tomado preso y sentenciado a la silla eléctrica. Una campaña internacional orquestada por los nacionalistas logró que se suspendiera la ejecución de Collazo.

Una activista de la campaña para salvar a Collazo fue la puertorriqueña Lolita Lebrón. En 1954 lideraría un ataque al Congreso para llamar la atención sobre la responsabilidad de ese órgano para mantener el estatus colonial de Puerto Rico. El 1 de marzo de 1954, Lolita Lebrón, Irvin Flores, Rafael Cancel Miranda y Andrés Figueroa Cordero irrumpieron en el Congreso al grito de "¡Viva Puerto Rico Libre!" lanzando tiros. Inmediatamente fueron arrestados y calificados de "fanáticos puertorriqueños". Hoy permanecen, junto a Collazo, entre los presos políticos más antiguos del hemisferio.

La represión de los años '50 tuvo un alto precio; nacionalistas y simpatizantes fueron encarcelados, golpeados y a veces asesinados. Los independentistas declarados sufrieron una represión que les negó el trabajo condenándolos a la pobreza y, a menudo, como en el caso de Dominga, al exilio. Mientras tanto, las ganancias en Puerto Rico se dispararon. La industria ahí creció, atraída por sus exenciones fiscales, mano de obra barata y falta de regulaciones ambientales. La emigración continuó imparable, mientras que la esterilización forzada de mujeres frenó el crecimiento de la población. Para finales de los '60, más capital estadounidense había sido invertido en Puerto Rico que en el resto de Latinoamérica. Más de una tercera parte de la población puertorriqueña había emigrado a los Estados Unidos y una tercera parte de las mujeres en edad fértil había sido esterilizada. El desastre económico continuó; el desempleo alcanzó una cifra galopante del 40% y Puerto Rico acumuló una enorme deuda nacional. La crisis en la colonia no pudo ser contenida.

Este es el contexto de la historia de Dominga. Su historia es una historia de resistencia, el latido de la historia de Puerto Rico. Dominga de la Cruz lanzándose entre disparos para rescatar la bandera puertorriqueña *es* Puerto Rico en lucha…

La historia de Dominga ofrece muchas lecciones. Es una mujer negra de la clase trabajadora que luchó para participar en el movimiento. "Incluso hoy en día, Margaret, ¡debemos luchar por nuestro derecho a luchar!", explica, relatando cómo al principio las mujeres en Ponce recibieron órdenes de no marchar. La experiencia de Dominga no es un caso aislado. El activismo de las mujeres puertorriqueñas que data de siglos fue a menudo desalentado e ignorado. La participación de las mujeres se originó con las Taínas que se resistieron a los españoles y las esclavas negras que encabezaron levantamientos en las plantaciones. La lucha prosiguió en Lares con Mariana Bracetti, creadora de la bandera de Lares, y Lola Rodríguez de Tió, cuyo llamado a las armas se canta hoy en día, y en los años '30 y '50 con mujeres como Dominga que jugaron un rol activo en el Partido Nacionalista. Es una historia impregnada con la imagen de Lolita Lebrón, encarcelada durante un cuarto de siglo.

Las mujeres son activistas en todas las esferas del movimiento por la independencia actual. Muchas han pasado inadvertidas. "Voy a hacer una lista de mujeres activistas en la revolución de 1950 y en la lucha en general en este siglo, y te asombrará ver cuántos nombres desconocidos siguen apareciendo", escribe Zoraida Collazo, hija del nacionalista prisionero Oscar Collazo y ella misma activista en el movimiento por la independencia. "Como ejemplo, voy a enumerar a algunas, y tú me dirás si has oído hablar de ellas: Juanita Ojeda, Olga Viscal, Carmín Pérez, Isolina Rondón, Juanita Mills, Blanca Canales, Doris Torresola, Angelina Torresola, Carmen Otero, Rosa Collazo, Isabelita Rosado, Cándida Collazo, Carmen Fernández, María Fernández. Solo por mencionar a unas cuantas".

La historia de Dominga revela sus dotes extraordinarias como trabajadora cultural. Aprendemos de su época de declamadora de poesía, en particular de los versos de los poetas negros caribeños. Es fácil imaginar la energía y vitalidad de Dominga recitando. Nos hace recordar a otra trabajadora cultural, su compatriota Lola Rodríguez de Tió, quien como Dominga, vivió gran parte de su vida exiliada en Cuba. La famosa frase de Rodríguez de Tió sobre Cuba y Puerto Rico resume la relación histórica entre esos países. "Cuba y Puerto Rico son de un pájaro las dos alas", escribió la poeta que combatió a lado del cubano José Martí. Cuba continúa apoyando a Puerto Rico, el ala todavía encadenada. Es sólo natural que Cuba se convirtiera en el segundo hogar de Dominga, recibiéndola con los brazos abiertos cuando los opresores de su propio país la forzaron al exilio.

Otra lección de la historia de Dominga se refiere al origen de este libro. Este volumen es una reflexión de los vínculos duraderos de solidaridad entre activistas puertorriqueños y progresistas estadounidenses. En esta tradición solidaria, Margaret Randall nos trae la historia de Dominga como un relato oral. A través de Margaret, Dominga comparte su historia en sus propias palabras. La relación entre Dominga y Margaret brilla en estas páginas como ejemplo vibrante de la solidaridad que Puerto Rico necesita. Este libro espera agregar combustible al fuego de esa solidaridad al mostrar la vida de una heroína puertorriqueña que entró a la historia en uno de los momentos más oscuros de Puerto Rico, en que el coraje de Dominga confirma las enseñanzas del Maestro: La independencia no se gana con aplausos. Se gana con hechos.

Mariana Mcdonald
Dorchester, Massachusetts
Verano 1979

SOBRE LA HISTORIA DE DOMINGA

Margaret Randall

Puerto Rico es un ejemplo cercano y perfecto de *colonia*. Allí se han conjugado to dos los factores económicos, políticos y militares necesarios para merecer esta definición. La consecuente afectación cultural, además, ha promovido un "consentimiento" aparente del pueblo, mediante el cual la reacción puede argumentar incluso una aprobación popular de la situación existente.

Manuel Maldonado-Denis, en su ensayo "Hacia una interpretación marxista de la historia de Puerto Rico", clarifica:

> " [En Lenin] podemos encontrar todas las características básicas del imperialismo, en cuanto fase superior del capitalismo, como perfectamente aplicables al caso de Puerto Rico: conquista militar, explotación de mano de obra barata y abundante, despojo de las materias primas del país colonizado por el país colonizador, apertura de un mercado cautivo donde el país imperialista puede verter sus mercancías excedentes... Puerto Rico se distingue de otras sociedades bajo dominación neocolonial por el hecho de que los Estados Unidos ejercen sobre nuestra nación un dominio directo, a través de las múltiples agencias e instrumentalidades que determinan los más importantes aspectos de nuestra vida colectiva. Al carecer Puerto Rico del mero ejercicio formal y legal de la soberanía, las condiciones estructurales para el cambio social se dan dentro de un marco que permite a la metrópoli una penetración mucho más intensa y extensa en todos los aspectos de nuestra vida colectiva que en las sociedades dependientes de carácter neocolonial."

> *Hacia una interpretación marxista de la historia de Puerto Rico y otros ensayos*, p. 19.

En una situación como la arriba descrita, se dan todas las condiciones de injusticia que caracterizan las sociedades de clases, más la relación imperio-colonia que produce este cuadro específico. Y por supuesto se dan también las luchas históricamente destinadas a derrumbar a la burguesía en el poder para reemplazarla por el proletariado como amo de su propia vida y porvenir.

En esta larga lucha siempre hay líderes—un Betances, un Pedro Albizu Campos, una Lolita Lebrón, un Juan Mari Bras—pero el pueblo es determinante en un movimiento revolucionario. Masas de hombres y mujeres llevan a cabo los profundos cambios sociales. Mucho se ha escrito acerca de los líderes; poco acerca de los hombres y—sobre todo—las mujeres que conforman esa fuerza humana incontenible: La clase trabajadora.

Este es el testimonio de una mujer. Una mujer cuya vida misma le instó a buscar soluciones y cuyo momento histórico la integró a una lucha importante en su patria.

En La Habana, desde hace varios años, se puede oír la frase: "… es la que alzó la bandera en la masacre de Ponce". Así no más, y repetida cada vez que se quiere ahondar momentáneamente en la persona de Dominga de la Cruz, una negra pequeña, viejita, vital y dulce.

La figura de Dominga es común; se le ve en las actividades solidarias con su patria, en los múltiples trabajos que lleva a cabo el pueblo cubano en la construcción de su nueva sociedad, en las tareas cotidianas: en la carnicería, el puesto de viandas, la lechería…

Pero, ¿quién es Dominga de la Cruz? ¿Quién vive tras el rostro tan a menudo explicado con esas palabras "la que alzó la bandera…"? ¿Qué vida oculta la sonrisa suave, los ojos profundos? Nos fuimos en busca de la mujer tras el momento histórico, porque sabemos que Dominga—como tantas—tiene que ser mucho más que lo que se ejemplifica en su momento más destacado, tiene que haber vivido años y años asequibles a nuestro más íntimo dolor, a nuestra capacidad de comprender la vida de cualquier mujer americana.

Porque si Dominga, efectivamente, fue discípula de Don Pedro Albizu Campos, si Dominga corrió bajo las balas y salvaguardó la bandera querida, explicando después cuando le preguntaron que "así nos enseñó el Maestro, que la bandera siempre debe de estar en alto…"; si Dominga salió después de su Isla oprimida y viajó para cantar las penas y el orgullo de su pueblo; Dominga también nació y creció, aprendió y trabajó, tuvo hijos y sufrió la existencia diaria de millones de mujeres pobres, negras, explotadas de nuestro continente. Fuimos en busca de *esa* Dominga, la que nació mucho antes del momento culminante en Ponce, la que sigue viviendo entre nosotros.

La encontramos en su pequeño apartamento en el barrio del Vedado, en La Habana. Esta mujer de alrededor de 70 años tiene bien ganado el descanso que le ofrece la Cuba revolucionaria desde el año '62 cuando, perseguida en México, vino a vivir acá. Su hogar, los objetos que le rodean y la atmósfera que crea ella misma donde va componen un cuadro a la vez de recuerdo y de presente. Un cúmulo de memorias que no ha muerto. Afiches, libros, fotos, programas en que el papel ya se amarillentó pero el evento—acto político, recordatorio de la masacre, recital de poesía—sigue teniendo vigencia: respira como parte integral de la historia de Puerto Rico.

Esta mujer, a veces, es casi sonrisa y manos no más: los gestos son grandes, expansivos, incluyen una experiencia profunda que permite una honda comprensión de problemas y alegrías, del medio y los detalles más pequeños que lo componen. Al abordar un tema puede que haya algo de timidez; pero en la medida en que se va adentrando en él se anima, gesticula, se enriquece el lenguaje y los tonos van describiendo emociones, colores, rostros, energías, miedos y firmezas, desesperación y orgullo, luchas que siguen y cantos que no se cansan.

No creo que he escuchado otra voz como la de Dominga. Es terriblemente suave y a la vez fuerte y resonante. A veces va despacio, escoge sus palabras, las medita antes de entregarlas. A veces es pura poesía, las palabras bailan, cortan el aire, brincan, dormitan o corren.

No es difícil hablarle a Dominga. No es difícil, porque ella misma tiene pensada esta tarea. Dice que quiere dejar su pequeña historia—parte de la historia más grande de la mujer americana—para que la juventud de hoy conozca, aprenda de ella. Es ordenada y meticulosa en sus actos y ha pensado "hacer esta tarea antes de que muera", como dice ella, con toda la modestia y profundidad que le caracteriza. Va siempre hacia lo grande, lo histórico. Es trabajoso a veces hacerle hablar de sí misma, de las cosas pequeñas. Hay que explicarle entonces que ésta, su vida, tiene un hondo sentido para nosotros. Que vemos en ella un ejemplo de la mujer común que se despierta continentalmente.

En estas páginas el lector encontrará muchos recuerdos, y poco quizás del Puerto Rico actual. A pesar de que también se han querido incluir memorias y apreciaciones recientes de Dominga, la falta de extensión en cuanto al presente se debe evidentemente al hecho de que ella ha vivido en el exilio muchos años y su único retorno—por cuatro meses en el año 1976—fue bastante fugaz. Para profundizar en la lucha del pueblo puertorriqueño hoy, se recomiendan los libros citados a lo largo de este trabajo y el semanario *Claridad*.

Dominga nació el 22 de abril en el año 1909, cuando Estados Unidos afincaba su dominio de la Isla. Abrió sus ojos a las cosas de este mundo precisamente en un tiempo en que todo cambiaba, se "americanizaba". Las contradicciones entre la vida como la conocían sus abuelos y sus padres y la realidad con que ella se enfrentaba diariamente, eran enormes. A veces, inexplicables.

> "Las autoridades coloniales trataron de destruir las raíces de la identidad nacional puertorriqueña, de enterrar su historia y de torcer sus tradiciones. Bajo la dominación de los Estados Unidos el analfabetismo se redujo de un 87 por ciento en 1900, a un 50 por ciento en 1920, pero esta educación no se ofreció al pueblo puertorriqueño por razones puramente humanitarias. La industria necesitaba una clase trabajadora que pudiera leer y escribir un inglés básico. (…) Por cientos de años el español fue la lengua hablada y escrita en la Isla; ahora de repente todas las clases en la escuela se impartían en inglés. (…) En 1917, dos décadas después de la invasión militar, el Congreso de los Estados Unidos aumentó el control político sobre Puerto Rico con la promulgación de la "Ley Jones". (…) Esta imponía la ciudadanía norteamericana a los puertorriqueños quisiéranla o no…"

Puerto Rico, The Flame of Resistance, p. 36.

EL PUEBLO NO SÓLO ES TESTIGO

Dominga de la Cruz

I. ME PARECE QUE YO NO TUVE MUCHA NIÑEZ

Tal vez no lo creerás, pero a mí me parece que yo no tuve mucha niñez, ni mucha juventud. Yo nací madura. No sé si entiendes esto: yo nací madura, no me acuerdo mucho de mi juventud sino de las luchas; y con mi niñez, igual.

Mis padres murieron temprano. Yo tendría de ocho a nueve años. No puedo recordar la cara de ellos. Éramos seis, entre todos. Mis hermanos y yo nos quedamos pequeños y nos llevaron a diferentes familias para que nos criaran. Yo era de los menores.

Tuve la suerte de estar, por un tiempo al menos, entre dos familias amigas. Eran gentes bastante politizadas para aquella época. Querían la independencia de su patria a pesar de ser medio burgueses. Claro, en aquella época la pequeña y gran burguesía quería la independencia de la Isla, para poder ellos hacerse más ricos con el sudor de los obreros.

Yo soy obrera, nacida en Ponce, barrio Buenos Aires, el 22 de abril de 1909. Obrera, a pesar de pasar algunos años, después de la muerte de mis padres, en esas casas económicamente mejores. Mis padres murieron casi juntos. Mi padre, creo, de una enfermedad; algo de los riñones. Y como eran una pareja a la antigua, que no podían vivir el uno sin el otro, mi madre al morir su marido, no consideró que estábamos nosotros, y se murió también.

Yo me crié muy aparte de toda la demás familia que quedaba. Me llevaron con mi madrina, mujer casada con un español y que se puede decir fue bastante culta. Protegía a la juventud en aquel tiempo, siempre asistía cuando iban artistas valiosos, iba al teatro, entregaba regalos en beneficio del artista principal; y yo me desarrollé viendo todo eso.

Oía el piano de ella, un piano avanzadísimo, oía desde chica las obras tocadas por ella, oía cuando se reunían y recitaban las muchachas mayores, y desde chica me pude dar cuenta de lo que es el arte de la declamación.

Quizás por eso me gustó y me gusta tanto.

Mi madrina tenía una gran biblioteca donde yo escogía libros de los mejores poetas como Ramón de Campoamor, Víctor Hugo. Las *Contemplaciones* de Víctor Hugo las leí muy chica aún y sin embargo comprendía algo. Ellos se iban los días de calor—julio, agosto—y los pasaban en el campo en una finca bellísima. Me gustaba la naturaleza, me gustaba ver los árboles, el río, todo como si yo lo entendiera. Y me aprendí unos dos poemas de Juan de Dios Peza, el poeta mexicano, y entonces cuando yo estaba sola, cuando nadie me oía, los recitaba. Y mi público era el río, los árboles, los árboles que se sienten partir con el viento, ¡ese era mi público preferido!

Fui a la escuela en esa etapa, pero no duré mucho. Me aburría: la maestra, la disciplina... Me dijeron después—perdóname que digo esto—pero me dijeron después de grande que yo era tan rebelde porque era inteligente. No sé, pero me aburría. Me gustaban más los poemas y esas cosas. La aritmética no. También por la influencia yanqui en Ponce, las escuelas empezaron entonces a tener niños y niñas a la vez. Hubo problemas con ello debido a la formación de la gente y a la imposición de una cultura ajena sin mayores explicaciones. Claro, eran más bien las niñas las que dejaban de ir a la escuela. Yo llegué hasta cuarto grado más o menos, y me sacaron. Después estudié en casa, pero muy corto tiempo.

También mi madrina y su esposo murieron poco después. Entonces entró una confusión que yo entiendo algo ahora, y es que entró la cuestión norteamericana: el imperialismo. Yo lo entiendo ahora. Ellos tenían finca de café, y todo eso vino abajo. Creo, según oía explicar luego a Don Pedro, esos reveses de mi pueblo, que los norteamericanos devaluaron el peso, y la gente se arruinaba porque como dijo Don Rosendo Matienzo Cinturón a los puertorriqueños en su prédica: "¡No vendáis el terruño, no vendáis la tierra!" Y no hacían caso, quizás por salir de las hipotecas, y eso trajo el desastre de esa primera época en Puerto Rico...

"Bajo el dominio de los Estados Unidos, Puerto Rico llegó a ser una gran plantación de caña de azúcar en posesión y operación de compañías norteamericanas. La economía agrícola diversificada declinó y Puerto Rico se convirtió en una economía de monocultivo. A través de varias décadas las plantaciones de café y tabaco fueron arrastradas a la quiebra. (...) En 30 años las corporaciones norteamericanas llegaron a controlar la economía de Puerto Rico. En el 1899 los puertorriqueños eran dueños del 90 por ciento de las fincas y haciendas; ya en 1930 los monopolios norteamericanos tenían el 65 por ciento de la producción azucarera; tres quintas partes de toda la tierra dedicada al cultivo de caña de azúcar pertenecían a cuatro compañías norteamericanas. (…) De 1900 a 1930 estos monopolios extrajeron más de $200 000 000 en ganancias de Puerto Rico."

Puerto Rico, The Flame of Resistance, p. 40.

En eso—el desastre del café, la muerte de esa familia—yo me fui a vivir con mis hermanos, pobrecitos, que tenían crianzas de cerdos y cosas así. Me pasé la vida trabajando en todo eso. Se me pegó el paludismo porque no estaba acostumbrada a ese cambio de vida tan brusco, parece que las fiebres las cogía en el pasto y allí me acostaba sobre la tierra y las pasaba.

Por una circunstancia—la de la muerte de mis padres—yo había vivido un tiempo alejada de esa realidad. Pero esa realidad es la más común de nuestros países. ¿Cuántas mujeres, cuántos hombres no nacen y mueren en esa vida? ¿Cuántos? Y por eso te decía que yo no me acuerdo bien de tener una infancia, nada más que fragmentada. Sí.

II. TODO LO TERRIBLE QUE PASABA LA MUJER EN ESTA ETAPA, YO TAMBIÉN LO PASÉ

Y luego que así crecí, me desarrollé, me hice una señorita—como se dice en Puerto Rico—, me desarrollé y empecé a trabajar en las fábricas, en los talleres de blusas caladas y bordadas, con mi hermana. Con mi hermana mayor.

Puerto Rico es famoso por su bordado, un trabajo finísimo, que es posible como en otros países llamados "subdesarrollados", porque hay una mano de obra prácticamente esclava. Pero tú no sabes lo que era el trabajo ese. Nosotras trabajábamos con la luz del quinqué hasta las dos de la mañana, día tras día. Y mal alimentadas. Y yo estaba en Mayagüez con mi hermana, que era donde únicamente podía ir. Por eso digo que Mayagüez es la ciudad que más tuberculosos tiene; no había aumento y había mucho trabajo de ese de aguja. La fábrica de la aguja. Trabajábamos en eso, en Mayagüez, cuando Albizu Campos empezó a predicar.

"...Estados Unidos decidió establecer industrias livianas de manufactura: ropa, calzado, tejido, ese tipo de cosas. Eso requiere mano de obra femenina, más fácil de explotar. Primero hubo un desplazamiento muy grande de hombres hacia Estados Unidos, con la ruina de la agricultura... segundo, ellos preferían emplear mujeres porque les podían pagar todavía menos. Porque si al hombre le pagan una tercera parte de lo que le pagan al trabajador norteamericano por el mismo trabajo, a la mujer le pagan una octava o una sexta parte. Así la mujer puertorriqueña se incorporó al proceso productivo, y ahora pues son el 48% de la fuerza laboral".*

Entrevista inédita de Margaret Randall con Carmen Baerga, dirigente del Partido Socialista Puertorriqueño, octubre de 1972.

---

* Según datos obtenidos de la misión permanente del Partido Socialista Puertorriqueño (PSP) en Cuba, en 1978 la mujer componía un 49% de la fuerza productiva industrial de Puerto Rico, y el 51% de la población del país.

En ese momento yo todavía no tenía… no. No *sabía*. No es que no tenía sino que no sabía lo que era la lucha de clases. No me convenía mucho trabajar hasta medianoche, a la luz de un quinqué, para los talleres; porque era un trabajo que se llevaba a la casa, compañera, lo hacíamos en la casa. Un agente que contrataba con la fábrica se traía ese trabajo, nos cogía a nosotras para trabajar y después él cobraba una comisión. Era una explotación doble la que nosotras sufríamos.

Yo no entendía la lucha de clases, pero sí entendía mi miseria. Claro, tal vez creía que era problema "mío"… Pero yo era rebelde por naturaleza. Tampoco quise seguir allí. Y entonces me llevaron a una fábrica de tabaco donde estaban compañeros de mi hermana. Yo leía y decían ellos que leía bastante correctamente, para ser tan joven. Porque se masticaba un poco en Puerto Rico, nuestro idioma . . . en esa época, ¿no? Y yo leía bastante bien. Entonces, me fui a leerle a los obreros, en un chinchal que le llaman, un chinchal de tabaco…

Todo lo terrible que pasaba la mujer en esa etapa, yo también lo pasé. La mujer tenía que buscar marido para poder comer. Y yo busqué el mío y me casé.

No creas que lo amaba, no. Yo tuve una educación exquisita, demasiado exquisita en algunos aspectos. Cuando era muy niña, ¿no?, entonces hablaban de tantas cosas que para mí eran demasiado altas. Yo era pues un poquito exigente, no para encontrar un hombre rico, ni con dinero, no, no, no. No estaba desarrollada en la cuestión sexual: esa era la cosa. Para mí, como si eso no existiera. Quizás no me crees, pero así es. Ahora tenía que buscarme un hombre, porque casada o no yo tenía que encontrar ayuda para poder desarrollarme económicamente. Y no comprendía el por qué de esa situación, sino que seguía una rutina, pero sin comprender. Aunque me rebelaba. Eso sí, no sabía contra qué, pero me rebelaba.

Todo era tan distinto entonces. Y ahora uno comprende muchas cosas. Yo me casé, pero no sé, él era. . . él era protestante, pero no sé… No era un hombre malo, pero nunca logré tener una verdadera confianza con él.

"En Puerto Rico el hombre ve a la mujer como un ser inferior. Esto, a pesar de la llamada 'igualdad legal'. (…) hay profesiones que todavía le son vedadas a la mujer, como lo son la medicina, la ingeniería y las leyes. (…) La religión, las concepciones morales de las clases dominantes, los instrumentos de propaganda (cine, radio, prensa, televisión) tratan de sofocar la lucha por la emancipación de la mujer. Así podemos ver cómo el llamado complejo de virginidad se mantiene como un valor social en nuestra sociedad y se utiliza la presión social para castigar a la mujer que lo viola."

Juan A. Silén, *Hacia una visión positiva del puertorriqueño*, pp. 163-164.

Tuve dos niñas, una tras otra, tan seguidas. Yo sentía una cosa muy elevada por ser madre, por sentir en los brazos una niñita, sentir la primera vez que me decía *mamá*, esas cosas… Eso para mí era algo extraordinario. Pero se puede decir que mis hijas murieron de hambre. Raquitismo. Yo no tenía lo suficiente para sostenerlas.

La mayor, Ana Luisa, llegó a más o menos doce años. Pero María Teresa, la más chiquita, no resistió tanto. Era más débil. Murió con unos cuatro o cinco años.

¿No ves que éramos mujeres que muchas veces teníamos que ir a lavar pisos, a cualquier trabajo doméstico, para conseguir un poco de leche? Y con la leche lo que hacíamos en muchas ocasiones, como era tan poquita la que podíamos conseguir, hacíamos té de naranjo, de hoja de naranjo, y la ligábamos con la leche para darlo a las niñas. Con eso se llenaban.

Muchas veces comíamos bacalao asado con arroz blanco nada más. Comíamos bacalao para tomar mucha agua y así llenarnos también. Esa es la causa por la cual después a mí me dio anemia. Y a las niñas. Y tuve que darles el pecho hasta muy tarde, ya grandecitas. Era lo único que les satisfacía: el pecho de la madre. Eso era una cosa de muchas mujeres. Y trabajando y buscando donde encontrar más centavos, pues era un crimen lo que se hacía contra nosotras.

"En el año 1928… todos los trabajadores estaban mal, económicamente. La mayor parte de las familias recurrían al trabajo de la aguja como medio para subsistir… Familias enteras pasaban el día y parte de la noche bordando pañuelos y bordando blusas… pero no ganaban lo suficiente para comer tres veces al día. Escasamente había para comer arroz y habichuelas una vez al día. El café prieto y el pan viejo eran el refugio de los pobres. Dentro de esa situación era natural que las enfermedades se cebaran en la miseria. Las mil enfermedades que producen el hambre y la miseria, cayeron sobre los pobres: anemia, tifus, gastroenteritis, paludismo…".

> Tomado del testimonio de Juan Sáez Corales, "25 años
> de lucha", en A. G. Quintero Rivera, *Lucha obrera en
> Puerto Rico*, pp. 128-129.

Mi esposo y yo nos separamos, él se fue para esas islas—Curazao, o algo así—porque a él le gustaba más la compraventa, comprar cosas y venderlas. Después supe que había muerto. Supe que se había puesto a enamorar a una mujer, porque era así, y que lo habían matado. Eso fue lo que llegó a los oídos de mi familia. A mí ya no me importaba.

En ese transcurso de tiempo que te estoy diciendo es cuando me llevaron a la tabaquería. Y allí fui sintiéndome, se puede decir, ¡como una verdadera luchadora!

Y oía a los obreros, yo les leía el periódico por la mañana, "El Mundo"—que era el principal—y leía las noticias, de todo lo que ocurría. Albizu estaba: "...el presidente Albizu fue a América Latina...", y todas esas cosas las publicaban de la lucha existente, y también de Moscú, de los bolcheviques.

Mi vida obrera llegó hasta la tabaquería nada más. Porque en 1932, Albizu había hecho el asalto al Capitolio. Albizu dirigió ese asalto por la bandera. A nuestra bandera la querían utilizar para confundir al pueblo. Y la habían ocultado. Entonces Albizu pidió al pueblo que asaltara el Capitolio para rescatar la bandera, porque estaban haciendo una ley para que la bandera la pudieran tener todos los politiqueros en Puerto Rico, y él consideraba que la bandera de Puerto Rico era muy sagrada, muy alta, para que la usaran en la política los que estaban vendiendo la patria.

Allí en la tabaquería fue donde yo leí lo del asalto a los obreros. En ese asalto murió el primer mártir de nuestros tiempos en Puerto Rico, Manuel Suárez Díaz. ¡Eso fue tremendo! El pueblo se metió al Capitolio, y los senadores brincaron, ventanas y todo, ¡y se fueron! Fue una masa enorme la que entró allí, estaban arreglando algo que se derrumbó, y el muchacho se cayó. Fue donde se mató. Pero con la bandera ya salvada. A Albizu lo llevaron a la cárcel, pero en seguida lo sacaron...

También a los obreros de ese chinchal les leí un libro acerca de la revolución francesa. Ese libro gustó muchísimo, a toda la clase obrera del país. Los obreros discutían, ellos discutían entre sí, claro de mí no se ocupaban porque yo ¿qué sabía?, pero como ellos discutían entre sí yo escuchaba todo y me gustaba oírlo, aunque no lo entendiera completamente.

Y me acuerdo que una vez dijo un obrero esto: "Rusia—hablando acerca de los bolcheviques—¡Rusia será maestra!" Como una exclamación, o como una conclusión de lo que se discutía, ¿no? Y eso se me quedó grabado en la mente. Nunca más lo olvidé.

"Se alternaban los temas: a una obra de asunto filosófico, político o científico le sucedía una novela. (...) Emilio Zola, Alejandro Dumas, Víctor Hugo, Gustavo Flaubert, Julio Verne, Pierre Loti, José María Vargas Vila, Pérez Galdós, Palacio Valdés, Dostoievsky, Gogol, Gorki, Tolstoi. (...) en todas las fábricas se observaba un silencio de iglesia durante la lectura. Cuando nos entusiasmábamos con algún pasaje, se demostraba la aprobación tocando repetidamente con las chavetas sobre la tabla de hacer cigarros. Esta particular forma de aplaudir resonaba como una sinfonía de un extremo a otro del taller. Durante los temas polémicos, especialmente, nadie perdía una palabra. (...) Al final de los turnos de lectura se iniciaba la discusión sobre lo leído. Se hablaba de una mesa a otra, sin interrumpir el trabajo. Sin que nadie formalmente dirigiera la discusión, se alternaban los turnos. (...) No era raro que alguno de los operarios tuviera en su propia mesa de trabajo un diccionario enciclopédico."

César Andreu Iglesias, *Memorias de Bernardo Vega*, Ediciones Huracán, Río Piedras, Puerto Rico, 1977, pp. 59-60.

III. NO TENÍAMOS MIEDO NI A LA CÁRCEL, NI A LA MUERTE

Ahora, en todo e se trayecto de vida que hice, unas veces trabajando aquí, otras veces allá, tuve a mi primera niña, después la segunda, y murieron; un día supe de Albizu y oí que él iba a hablar. Había una gran huelga de obreros del azúcar, y él iba a hablar en la plaza pública de Mayagüez. Curiosa yo, al fin, con todas esas cosas que me pasaban, yo sentía... yo tenía, compañera Margaret, efectivamente yo estaba segura de que encontraría algo. Estaba segura, no sé de qué, pero sabía que iba a encontrarlo. Y que tenía que caminar para encontrarlo. ¿Tú entiendes este punto, no? Entonces me fui a oír a Albizu...

"Albizu Campos nació en Ponce el 12 de septiembre de 1891. En julio de 1898, cuando tenía siete años, el ejército norteamericano invadió la ciudad y la ocupó. Fue algo que Albizu nunca iba a olvidar; soldados de otra nación ocuparon las calles de Ponce, la plaza central de Ponce. La bandera de las franjas y las estrellas fue enarbolada sobre el ayuntamiento. En aquellos años Albizu también conoció lo que era el racismo norteamericano. Su madre era parte negra, parte india. (...) Todavía joven (Albizu) estudió universidad en los Estados Unidos. (...) En Harvard, fue profundamente influenciado por representantes del movimiento nacionalista irlandés y del movimiento nacionalista indio de Mahatma Ghandi [sic]. (...) decidió que Puerto Rico tendría que crear un ejército libertador con la fuerza del Ejército Republicano Irlandés (IRA). (...) En los años '20, Albizu empezó a formular una estrategia para la liberación de la patria."

Puerto Rico, The Flame of Resistance, pp. 52-53.

Cuando lo vi por vez primera, estaba sentado. Parece que venía con mucho cansancio, y vi sus ojos tristes, fatigados por la lucha. Pero tenía un verbo tremendo. Empezaba despacio, e iba adquiriendo fuerza. Y lo entendían todas las inteligencias: igual del obrero, que el estudiante, las mujeres, los intelectuales… ¡Él nos quitó ese fantasma de que el yanqui era una especie de dios!

Era tremendo con el Partido Nacionalista allí, y yo lo oí exponiendo tantos conceptos que comprendí por primera vez. Supe que él decía la verdad. Yo lo miraba y decía: "lo que dice este hombre no es mentira", porque habían muchos politiqueros que jugaban con los obreros, que jugaban con la política misma, ya tú sabes. Entonces yo dije: "No, no, este hombre no. Este hombre está diciendo la verdad".

Y yo me decía, porque yo era rebelde, y la verdad: también era atrevida, esa es la pura verdad, sería por mi juventud; y entonces me decía: "Tengo que hablarle a este hombre, tengo que preguntarle: ¿por qué a mí me han pasado tantas cosas…? ¡si yo no he hecho nada a nadie…! ¿por qué a mí me han sucedido tantas cosas? Yo le voy a explicar y él me entenderá".

Imagínate: eso era una cosa que no se podía… Entonces me fui al local donde se reunían los nacionalistas. Ya Albizu no estaba en Mayagüez. Me presenté dispuesta así, y dije: "Vengo a inscribirme". Entonces me dijeron: "Ah, ¿Inscribirse? ¿Y quién es usted?" Y yo les dije, "Yo soy sobrina de Joaquín Becerril". Joaquín Becerril era un líder del Partido Republicano y tenía fama, porque una vez en un discurso dijo que en Puerto Rico todo es cuestión de comida, dicho como jíbaro, ¿no? Que todo es cuestión de comida, que no había verdad, que lo único que era verdadero era Albizu Campos. Por eso tenía fama. Entonces me dijeron: "Ah, entonces usted es Becerril". Y yo dije: "No, no soy, soy la sobrina…". Era una Junta aquella casi de hombres solamente. Pero me inscribieron. Eso fue terminando el año 1933.

Después, la Junta Nacionalista de Mayagüez se dividió porque tenía gente blandengue y otros dispuestos a todo. Cuando vino el presidente Roosevelt, algunos nacionalistas querían ofrendarle un ramo de flores. Don Pedro fue a Mayagüez entonces a disolver la Junta.

Los "burgueses" que salieron de esa Junta decidieron hacer un club aparte. Alquilaron una casa… un club como tantos que hay para jugar al "patriotismo". Trataron de usar la bandera de Lares, pero Don Pedro les advirtió que la bandera de Lares era del primer movimiento revolucionario de Puerto Rico para hacerse nación y que si insistían en izarla, los verdaderos nacionalistas la saludarían con una descarga.

¡La que se formó! ¡Tiroteo y todo! Después de eso ya no usaron más la bandera de Lares. La verdadera Junta nacionalista se reorganizó bajo Don Julio de Santiago, y seguimos trabajando por la libertad de la patria. No teníamos miedo ni a la cárcel ni a la muerte.

IV. ALBIZU CAMPOS ME ENSEÑÓ QUE LA LIBERTAD DE LA PA TRIA NO SE DISCUTE

En seguida me situaron tareas. No tenía mucho talento—digo yo, ¿no?—pero escribía algunos artículos a favor de muchas cosas del partido y de todo lo que queríamos impulsar. Los llevaba al periódico "El Sol" de Mayagüez. En seguida me los publicaban. Porque yo los escribía con un sentido realista, pero en el fondo tenían mucha poesía. ¡Que me salía la poesía así! Me publicaban todo lo que yo escribía.

Ellos creían que yo era un talento. Y como Becerril era un hombre talentoso, ellos me confundieron con él. Una vez escribí algo a favor de Albizu Campos y yo misma lo mandé a imprimir en hojas sueltas y yo misma los repartí [ríe], ¡yo misma hice la propaganda! [se ríe mucho].

Allá por 1933, se iba a hacer en Caguas la gran Asamblea Nacional que los nacionalistas hacían todos los años. Y como yo ya estaba en la Junta, ellos me dijeron que estuviera donde las damas. Es decir, con ellas, pero en un papel algo principal, como dirigente. Y ellas también se llevaban por mí. ¡Imagínate! Yo que no sabía nada, ellas se llevaban por mí...

Cuando la Asamblea, los compañeros de la Junta me invitaron para que fuera con ellos a presentarme a Albizu porque ya él sabía de mí, por lo que yo escribía, y tenía deseos de conocerme. Un hombre muy humano. Muy sencillo en su grandeza. Entonces ellos me preguntaron que si yo podía ir. Yo les dije que sí, cómo no, que iba.

Las compañeras que estaban conmigo trabajando me dijeron que escribiera algo acerca de la mujer nacionalista. Porque les gustaba mucho que yo dijera algo del cambio que debía tener la mujer dentro del Partido Nacionalista. Entonces yo les consulté: lo mejor es que en vez de Hijas de la Libertad, sean las Enfermeras del Ejército Libertador...Y eso lo llevé, consultándolo con el presidente del Partido allí en Mayagüez.

Las compañeras que estaban en el Partido necesitaban tener un puesto mejor que ser Hijas de la Libertad, que a fin de cuentas era una cosa formal... Estaban haciendo ejercicios y todo pero querían otra cosa, adelantar más como mujeres en sí, no imitar al hombre sino destacarse como mujeres en sí dentro del Partido. Y yo llevé entonces esa proposición que se hizo. Se hizo, porque compañera: ¿quién la leyó? ¡Albizu Campos!

A él le gustaba que la mujer se enalteciera. Mucho. Los compañeros me llevaron a la casa de él, con su esposa y sus hijos. Entonces le dijeron que había una delegación que venía para Caguas a trabajar. Cuando él vino a verme, que me vio sola, una mujer tan jovencita, sin ningún prejuicio porque no lo tenía, entre tanto hombre y tan confiada y tan segura, pues me admiró, ¿no?, y entonces vino a saludarme y cuando me saludó yo no comprendía, yo me veía como una mujer tan pequeñita en todo en todo en todo, y él era un hombre que tenía una grandeza enorme en Puerto Rico. Él se acercó a mí y lo único que yo alcancé a decir fue *"Oh, ¡el Maestro, el Maestro!"* Le bauticé El Maestro, y así se quedó.

Yo llevé el documento de las mujeres a la Asamblea, las mujeres querían ser enfermeras dentro del Cuerpo de los Cadetes de la República. Los Cadetes, como muchos saben, Margaret, nunca tenían armas. Hacían ejercicios, sí, pero lo que tenían era fusiles de madera. Claro, tal vez pensaban los dirigentes que algún día se volverían de los otros, ¿no?, pero eran fusiles de madera para que aprendieran los ejercicios.

Las compañeras querían tomar parte en eso pero de otro modo, siendo enfermeras, aprendiendo los primeros auxilios, para auxiliarlos a ellos mismos si algún día había algo y caían heridos, en fin, esas cosas… Yo llevé esa petición para la Asamblea, y a mí me nombraron—tuve el honor—para la Comisión de Resoluciones. Entonces empecé a trabajar y presenté la petición que yo llevaba en nombre de las mujeres de Mayagüez. Me hice líder, ya no había más remedio, ya no podía volverme atrás.

Cayó esa petición en las manos de Albizu. Tú sabes que cada uno lee su resolución, pero él cogió la mía. Y dijo, "Voy a leer una resolución aquí de una dama", y entonces la leyó. Tuve ese grandísimo honor, que pocas personas quizás de las que estábamos allí reunidas tuvieron. Y la resolución fue aprobada por aclamación. ¡Puesta de pie, la Asamblea! Las mujeres vencimos allí. Y entonces nuestro uniforme era blanco, por eso más tarde, en la masacre, aparecemos nosotras todas acompañando a los Cadetes, vestidas de blanco.

La lucha no era fácil, Margaret. La lucha es difícil. Y tormentosa por completo. La consigna de nosotros era luchar hasta la muerte si era necesario. Decía Don Pedro al pueblo cuando le hablaba, y al mismo tiempo nos decía a nosotros los que le seguíamos como sus discípulos, "La patria es valor y sacrificio". Así es que no pensábamos que estábamos allí por diversión, tú sabes, ni por pasar el tiempo ni por aventurerismo. Sino realmente por defender la patria...y aprender a conocerla hasta lo más profundo.

Aún no sabíamos tanto, estábamos bajo la bota del imperialismo, y hablábamos unas cosas: "*Yes... no...*". Algo así. Entonces le llamaban al imperio "el coloso del norte". Y en esa confusión mental estábamos nosotros metidos hasta que llegó ese hombre. Yo creo que la grandeza de Albizu es haber cogido a un pueblo de rodillas, porque así estábamos—un pueblo de rodillas—y con la energía de él *¡poner ese pueblo en pie!* Ponerlo a andar y enseñarle a luchar.

Después no había modo de que nos volviéramos a poner de rodillas. Teníamos que seguir adelante. Pero era terrible, luchar contra un imperio que tenía toda la fuerza en su favor. Comprenderás que muchas veces nos sentimos acabados, pero teníamos que seguir. Como los revolucionarios aquí en Cuba, que lucharon con un gran entusiasmo porque sabían que estaban defendiendo lo suyo. Exactamente eso nos pasó a nosotros allí. Sabíamos que estábamos defendiendo nuestra patria. ¡Y con un entusiasmo!

No discutíamos una orden, que si era buena, no, de ninguna manera. Seguíamos a nuestros líderes. Queríamos a Don Pedro, no como un mito que mentalmente habíamos formado, no. Sino como un padre que había querido que sus hijos tuvieran dignidad. Que nos había educado para que tuviéramos esa dignidad.

Siempre nos decía después—porque existían los que trataban de que hiciéramos un plebiscito, para con ello dividirnos—nos decía que no, que no podíamos dividirnos porque la independencia de la patria; el que la discutía, no tenía vergüenza; o es muy torpe o no tiene vergüenza. Albizu Campos me enseñó que la libertad de la patria no se discute.

Yo siempre vi a Don Pedro pulcro, decente en su manera de decir, aconsejando a la mujer, aconsejando a la juventud universitaria, los reunía allí y él los aconsejaba siempre por el bien y por el valor de cada hombre. Y de cada mujer. Pero dentro de un camino moral, no los dejaba errar. En ciertas cosas tú sabes que la juventud vacila. Pero él no le permitía caer. Tenía un sentido moral muy alto.

Y lo más grande que vi en él, fue que pasó necesidades. No era un hombre de aceptar sobornos. Los norteamericanos—mejor dicho: nosotros decimos "norteamericanos" a ustedes, los que trabajan por el bien, y les decimos "yanquis" a los otros. Y vinieron muchos, eminentes para el país norteamericano, y él a todos los rechazaba. Él tenía necesidades materiales enormes, pero nunca se dejó comprar. Por eso ha sido respetado por amigos y por enemigos. Con un valor que es extraordinario para mí: ese valor de enfrentarse constantemente.

Y estas cosas de Don Pedro nosotros las comprendíamos y las valorábamos por la condición de nuestra propia vida. Yo, por ejemplo, era muy joven, y me tuve que arrancar de la esclavitud. Salía de un sitio y me iba a otro, porque siempre me sentí inconforme. ¡Cómo iba a estar conforme con aquella vida! Nosotros éramos los hombres y las mujeres del pueblo sufriente. Él nos hizo abrir los ojos.

La mujer del pueblo trabajaba en los talleres donde se confeccionaba ropa que luego se embarcaba para Estados Unidos. Algo que me acuerdo bien de esa época es que yo ganaba $1.50, ¡al mes, compañera!

Y había jovencitas que en vez de hacer esos trabajos que tenían a las mujeres tuberculosas, pues se iban mejor a prostituirse, a estar con el hombre por unas horas y entonces ya seguían su vida en ese ritual. El hombre les pegaba, trataban de coger a un hombre más serio para que las "respetaran un poco", para que las "representara", pero éste cuando no ganaban mucho, les pegaba. La prostituta sufría otra explotación más grande todavía. Otra explotación, pero con las mismas causas.

"Se necesitan muchas mujeres para que luchen por la independencia de Puerto Rico. Los hombres en el movimiento deben exigirles a sus novias, a sus esposas que también luchen por la independencia de la patria…Si no, no sirven…Porque, en última instancia, si los hombres de Puerto Rico no pueden hacer la independencia, la vamos a hacer nosotras."

Lolita Lebrón, desde la prisión federal de Alderson, West Virginia, EE.UU. 1972.

V. Y COGÍ LA BANDERA LLENA DE SANGRE Y SEGUÍ CON ELLA

Ni el gobierno colonial ni su amo imperialista podían permitir la actividad de los nacionalistas. En 1936 se fabricó un asunto de armas supuestamente encontradas en la casa de un nacionalista en Mayagüez, y condujeron a juicio federal a todo el liderato del Partido. Condenaron a Albizu y demás dirigentes en julio de ese año; primero los llevaron a la cárcel de La Princesa, allá en la Isla, y en junio del año siguiente los trasladaron a la penitenciaría federal en Atlanta, Georgia. ¡El crimen era el de "conspirar para derrocar, derribar y destruir por medio de la fuerza el gobierno de Estados Unidos en Puerto Rico"!

¡Diez años en Atlanta! Esa fue la condena. No podíamos cruzarnos de brazos ante esa afrenta. Primero, nosotros teníamos sentido de patria: no reconocíamos la imposición de Estados Unidos como gobierno. Después, lo de las armas era mentira. Teníamos que protestar el encarcelamiento de nuestro apóstol y de los otros líderes nacionalistas. Estábamos enardecidos, y la lucha estaba en alto. Ya habíamos sufrido la matanza de Río Piedras.[*]

Todo vino rápido, una cosa tras otra. Con los líderes presos, los secretarios generales de las ocho ciudades más importantes formaban en esos momentos el Comité Central del Partido. Y los interinos nos avisaron a nosotros, a los cadetes y enfermeras del Ejército de Liberación, que teníamos que ir a Ponce para ayudar a los ponceños en una manifestación de apoyo a la libertad de los presos nacionalistas. Al día siguiente se conmemoraba la abolición de la esclavitud.

Era domingo de Ramos. Del año 1937. Salíamos de Mayagüez en guaguas que alquilamos. Me acuerdo que eran de color rojo. Por las ventanas de esas guaguas rojas vi pasar muy cerca las otras, las guaguas de la policía (llamadas por el pueblo "la flota roja") y los policías pasaron sonrientes: ellos sí sabían lo que iba a suceder, nosotros no.

El viaje era más o menos de dos horas, entre Mayagüez y Ponce. Cuando llegamos nos reunimos en una casa, esperando que nos vinieran a

---

[*] Los asesinatos de Río Piedras ocurrieron el 24 de octubre de 1935, en la Universidad de Puerto Rico en Río Piedras. La policía abrió fuego contra los partidarios del Partido Nacionalista de Puerto Rico. Cuatro miembros del partido murieron, junto con un transeúnte.

recoger. Vimos también allí policías, por todos lados, pero nosotros estábamos acostumbrados a eso, a que la policía entrara, nos allanara la casa. A mí me habían allanado la casa dos veces desde que Albizu estaba en la cárcel, cama por cama me revisaban todo, buscando armas. Así es que no pensábamos nada en particular, aun cuando veíamos tanta policía.

Estábamos reunidos en la Junta Nacionalista. Era la una de la tarde. Vimos que nuestros dirigentes discutían, salían y entraban; al poco rato supimos que habían ido donde el alcalde porque éste había dado permiso para la manifestación de ese día y hacía un cuarto de hora que lo había mandado suspender.

Después se supo que en un pueblecito cerca de Ponce,* el gobernador y el coronel esperaban el desarrollo de los acontecimientos según el plan de ellos.

Al fin, nuestros dirigentes nos dieron la orden y salimos todos, tanto hombres como mujeres, porque primero se acordó que nosotras las mujeres no saliéramos, pero después decidieron que sí. Margaret, ¡todavía hoy a veces nosotras tenemos que pelear nuestro derecho a luchar! Cuando nos formamos en la calle, allí estaban los policías en el orden que tenían planificado de antemano. Cuando ya íbamos con nuestras banderas y todo, me dijo una muchacha, "Ay, Dominga, ¡fíjese cómo están las armas!" Muy nerviosa, la pobre. Yo le dije: "Sí, las estoy viendo, ¡pero tenemos que seguir adelante!" Yo no te quiero decir que yo no sentía miedo, Margaret, tal vez sentí miedo. Pero yo lo que tenía era un coraje inmenso.

Entonces seguimos de frente, los cadetes de Ponce se pusieron en formación, los de Mayagüez detrás y más detrás íbamos nosotras las mujeres: primero las de Ponce y después las nuestras con nuestras banderas. Mandaron tocar el himno "La Borinqueña" y al oír el mismo, nos paramos en firme. Es muy bonito. Bueno, yo no puedo oírlo ya porque para mí ese día fue la primera vez que lo oí. Ya con "La Borinqueña" nos saludaron, y dijo el cadete López de Victoria "De frente, firme, de frente, ¡marchen!"

Al decir esto, él ignoró todo lo que tenía delante. Marchamos, y todas las armas comenzaron a disparar. Yo todavía no sé, Margaret, lo que pasó ese día allí, por qué a mí no me mataron, yo estaba expuesta y sentí cuando quitaron el seguro a las ametralladoras. En aquel instante yo también miré y vi que muchos se tiraron al suelo, porque de allá lanzaron los gases lacrimógenos que no sé de dónde vinieron, yo me sentía asfixiada

---

* Villalba

y los policías igual, porque yo no recuerdo haberlos visto con caretas antigases. Sé que según se iban cruzando las balas, iban cayendo los de alante. Entonces yo, con un muchacho que estaba cerca de mí, corrí para atravesar la calle porque cada uno corría hacia donde se podía auxiliar, y nosotros teníamos una casa enfrente, una casa palacio que era de un azucarero. Nosotros corríamos para allá, que nos quedaba más cerca y nos amparamos.

Yo no miraba a la policía ni a quién tiraba, sino que corría a auxiliarme, cuando veo que cruza y cae herida una persona,* y en ese segundo veo la bandera en el suelo. Y cogí la bandera llena de sangre y seguí con ella, recogí la bandera y seguí mi paso. Vino un cadete y me dijo "¿Está muerta, Doña Dominga?", porque yo como que me caí un poco... Me agarró y seguimos para el frente de la casa esa que estaba cerrada toda, portal y todo.

¿Sabes qué hicimos? Nos abrazamos todos y nos recostamos de la pared y ahí recostados esperamos que nos descargaran y entonces uno de los muchachos se subió al hombro de otro y saltó al portal y abrió la casa y fuimos como una avalancha para dentro. Ahí tenían unos canastos anchos en que traían la ropa blanca todas las tardes las planchadoras. Nosotros acostamos a todos los que estaban heridos en la sala, entonces cogimos las toallas y las rompimos para vendar. Esa fue la situación dentro de aquella casa.

Cuando vino la dueña de la casa, ella estaba en un mar de lágrimas y me dijo a mí, pues como yo tenía las insignias sabía que era la jefa, me dijo: "Yo hablé con mi abogado ya y me dijo que los dejara aquí". Yo no le contesté nada, no tenía aliento para hablar, no de cansada, Margaret, ¡en mi vida, que yo tengo muchos años, he sentido una rabia como aquella! No sé, no me ha gustado nunca tener un arma para dispararle a nadie pero si a mí me dan un arma ese día, bueno, entonces sí es verdad que yo no estaría aquí diciéndolo porque yo a todo lo que hubiera podido tirarle, le hubiera tirado.

Ahí nos quedamos hasta más o menos pasada una hora. A la hora, la señora vino y nos dijo que la policía estaba allí dentro de la casa, que saliéramos porque estábamos presos. Entonces ella ordenó que se llevaran los heridos, se los llevaron, y nosotros salimos y nos pusieron presos. Y ahí estaban los muertos a mis pies.

Eran 22 los muertos. Veinte de los muertos eran nuestros, y un policía y un soldado. Allí es donde salió la leyenda del primer disparo: dicen que un policía se cuadró, que se emocionó cuando saludamos la bandera, y los

---

* Carmen Fernández, que murió bajo las balas

otros policías le tiraron. Ese fue "el primer disparo", ese, que estuvo mucho en los periódicos. No querían decir la verdad, y ese muerto nos lo achacaban a nosotros. Imposible, porque ninguno de nosotros estaba armado.

Fíjate: éramos jóvenes, y como es la juventud, y hacia Ponce muchos venían bromeando en la guagua y todo eso—aunque también muchos veníamos callados como si presintiéramos que ese día no nos iba a brindar buenos resultados…Un poco preocupados, no como otra veces. Estábamos distintos. Y luego ante nuestros ojos los muertos, desgarrados a nuestros pies, porque se dice que allí se estrenaron esas balas explosivas que tenía Mussolini…También murió una niñita que vino a ver la manifestación con su padre, y le tocó una bala, estaba destrozada…

Aparte de los 22 muertos hubo muchísimos heridos: uno de ellos, un muchacho,* escribió con su sangre en una pared "¡Viva la República! ¡Abajo los asesinos!"

Al año, el gobernador fue a ese mismo lugar a celebrar un acto y un muchacho le descargó la pistola que tenía encima— ¡entonces fue armado!—pero mató a un comandante que servía de guardaespaldas porque el gobernador se tiró al piso…

Nosotros pasamos toda esa tarde de la masacre en el cuartel de la policía. El pueblo entero se unió a nosotros. Los abogados, nadie, durmió en esos días, todo el mundo corriendo de un lado a otro… Después vino la Investigación Hays.** Vino el Sr. Hays del *American Civil Liberties Union*, antes del proceso nuestro, porque a nosotros no iban a echar la muerte de ese policía, pero llegó el Sr. Hays y su comité.

Yo por lo menos encontré al Sr. Hays un hombre paciente, él no anduvo con nadie, con componendas de nada. Vino a hacer justicia, para eso llegó a Puerto Rico. Digan lo que digan, él mandó a buscar a cada uno, que contestara, que dijera lo que había pasado en Ponce. Porque algunos tuvieron

---

* Bolívar Márquez, a quien se atribuye este acto por haberse encontrado su cadáver cerca y sus dedos ensangrentados.

** Arthur Garfield Hays, abogado norteamericano con mucho prestigio como defensor de los derechos civiles, había defendido a Sacco y Vanzetti, Tom Mooney, los Muchachos de Scottsburo, Harry Bridges, etc. El Partido Nacionalista le pidió a Hays que viniera a Puerto Rico a investigar los sucesos del 21 de marzo de 1937. Se constituyó un comité integrado además por los presidentes del Colegio de Abogados de Puerto Rico, del Ateneo Puertorriqueño, de la Asociación Médica, los directores de los diarios "El Imparcial", "La Correspondencia", y "El Mundo" y otros. La investigación de este comité rindió después su informe, que fue leído en un acto público celebrado en la Plaza Baldorioty de San Juan, al que asistieron más de 10,000 personas. Este informe dejó en claro que la responsabilidad total de la masacre recaía en el gobierno colonial, y que fue planificado en su más mínimo detalle. (Información de La Masacre de Ponce, Angel R. Villarini, 1971.)

el cinismo de decir que Albizu era fascista, y otros decían que nosotros provocamos esa pelea, todas esas cosas...

El Sr. Hays entrevistó hasta al gobernador. Dicen que cuando fue a pedirle declaración al gobernador al palacio, cuando llegó al recinto, los periodistas andaban detrás de él. Llegó y el gobernador estaba sentado y le tendió la mano para saludarle y él no le dio la mano, esa acción quiso decir mucho. Y así...También, después de tomar todas las declaraciones en San Juan, salió para Ponce, y fue a todas las clínicas y hospitales, porque la cantidad de heridos era algo tremendo. Y de todos cogió también declaraciones...

A mí me tocó declarar, un día a las 2 a.m. y a esa hora el Sr. Hays no dio señales ni de que tenía sueño ni de que tenía cansancio. Estaba aquello lleno—gentes de la Universidad, intelectuales, estaban todos esperando las declaraciones. Cuando me tocó declarar, yo lo que le dije a él fue lo que vi, exactamente, limpiamente, y que recogí la bandera a mi paso. Entonces él dijo: "...y por qué si usted estaba en peligro de muerte, recogió esa bandera en vez de irse a salvar la vida?" Y yo le contesté "Porque mi maestro me enseñó que la bandera de la patria nunca debe caer al suelo", y él me preguntó: "Y ¿quién es su maestro?" Yo le respondí: "El doctor Don Pedro Albizu Campos".

Después, él se ponía de pie cuando yo pasaba. Y escribió en el periódico "El Mundo", algo más o menos: "...hay que verla, joven, negra, inmutable en su dignidad..." El Sr. Hays terminó su informe con las palabras: "*¡Esta fue una masacre!*"

> "Cuando empezamos nuestra investigación objetamos intitular nuestro comité, "Comité para la investigación de la matanza de Ponce". Para referirnos a la tragedia de Ponce, la denominábamos el caso de Ponce, el motín, la algarada, y por cualquier otra expresión que indicara nuestra voluntad de considerar el asunto objetivamente. Después de haber oído toda la prueba, hemos llegado a la conclusión de que el pueblo de Ponce le ha dado el único título descriptivo posible. Esta fue LA MASACRE DE PONCE..."

> Conclusión del Informe Hays, tomado de "*La Masacre de Ponce*", p. 29.

Yo me fui a Mayagüez en seguida, y cuando llegué a casa me dijeron que no podía ni tomar café—después de estar sin comer más de 24 horas—, me dijeron que me fuera en seguida para evitar la vergüenza de que me vinieran a buscar en esa flota roja de la policía. Me dijeron que me fuera al cuartel, que me habían venido a buscar dos o tres veces ya. Me fui en seguida.

Allí en el cuartel estaba el fiscal García Quiñones, que parecía una fiera, desde afuera se le oía la voz, y me dijo: "Venga acá, Ud. es la…" No terminó. Quién sabe lo que me quería decir. Me dijo: "Venga, venga para acá" y me llevó para dentro de un cuarto pequeño y me dijo: "Siéntese ahí. ¡Qué vengan los policías!" Los dos policías parecían tener más miedo que yo.

Todos ellos me miraban, entonces dijo el fiscal: "Ud. esté pendiente de lo que van a escribir". Y yo lo miré. El secretario dijo: "Si, está bien". El fiscal me preguntó: "Bueno, dígame ahora, ¿qué pasó en Ponce?" Yo contesté: "No sé, yo no sé lo que pasó ahí". "¿Cómo no sabe?" me gritó, con voz tremenda, "¿Qué fue lo que pasó entonces?" Y dije: "Lo ignoro, no sé". Me dice: "¿Usted no estaba en Ponce?" y dije: "Yo sí, paseando. ¿No se puede pasear?" Y me dijo: "Usted es una asesina, usted con todos sus abogados esos ¡usted es una asesina! ¡Usted mató al policía Loyola! —gritando—entonces yo me puse a mirar para arriba para no verle más la cara, y me dijo: "¡Váyase, váyase!"

"Hacia el final del invierno de 1937, el Partido Nacionalista protestó por el arresto y encarcelamiento de Albizu. En casi todos los pueblos las autoridades negaban permiso al partido para llevar a cabo mítines y marchas. Pero en Ponce, la ciudad natal de Albizu, el alcalde concedió un permiso. Los nacionalistas planearon un desfile de cadetes para el domingo de Ramos, el 21 de marzo de 1937 (…) ciento cincuenta policías, armados con ametralladoras, carabinas, bombas lacrimógenas, granadas de mano y rifles llegaron a Ponce y ocuparon la ciudad. (…) El abanderado cayó muerto bajo las balas y la bandera cayó al suelo. Dominga Cruz Becerril, una joven de Mayagüez, salió de donde estaba a salvo, corrió hacia la bandera y la levantó bien alto. (…) En la plaza central el caos envolvió tanto a los espectadores como a los manifestantes. (…) Por diez minutos la policía disparó ininterrumpidamente. Cuando cesó el tiroteo, veinte personas habían quedado muertas, y más de 150 heridas."*

Puerto Rico, The Flame of Resistance, pp. 58-59.

---

* Dominga da cifras de 22 muertos (incluido el policía) y muchos heridos. Distintas fuentes dan cifras diferentes. En cuanto a los heridos, muchos no entraron en la cuenta "oficial" porque se curaron en casas privadas en vez de arriesgarse en las clínicas y hospitales. Juan Angel Silén, en su *Historia de la nación puertorriqueña* (Editorial Edil, Puerto Rico, 1973), habla de 21 muertos y 200 heridos.

VI. ESA MATANZA NO MATÓ LAS ANSIAS DE LIBERTAD DEL PUEBLO

Después de la masacre, yo me quedé muy violenta, muy nerviosa. Entonces me fui a trabajar con el Frente Unido que se formó, porque esa matanza no mató las ansias de libertad del pueblo; al contrario, las ayudó.

Poco más de un mes después, llevaron a los presos para Atlanta y se formó el Frente Unido.* Yo trabajé algo, todo lo que pude, pero encontraba que no era la misma, o yo estaba muy agotada o muy nerviosa, verdaderamente afectada. Entonces me tuve que ir. Me recomendaron ir donde un psicólogo y el psicólogo me dijo: "Retírese un poco de la agitación política. ¿Qué le gusta a usted, el arte o algo así?" Yo le dije: "la poesía" porque era lo que siempre en mí estaba, y me dijo: "Muy bien, oiga esos valses rítmicos que toca la emisora WPRA—que era nueva—, óigalos por las mañanas, mientras hace el desayuno, eso le suavizará los nervios, está usted excesivamente nerviosa, muy enferma…Y váyase usted a ver algo de teatro, que no sea nada triste ni nada dramático". Y así lo hice. Todas las mañanas, mientras preparaba el poco desayuno, ponía los valses de Strauss, me gustaban mucho, y eso me hacía bastante bien. Y un día oyendo los valses escuché los anuncios de la emisora nueva inaugurada en Mayagüez y me fui para allá. Les dije que yo sabía recitar, que si me dejaban probar, que quería ayudarles porque tenían pocos artistas. Y me dijeron: "Bueno, vamos a probar su voz…".

Yo les recité "La Rosa" de los hermanos Álvarez Quintero: "Era un jardín sonriente, era una tranquila fuente de cristal, era a su borde asomada una rosa inmaculada de un rosal, era un viejo jardinero que cuidaba con esmero del vergel, lleva una rosa un tesoro…" Son muchos los años, no me acuerdo de todo…Bueno, yo estuve un año trabajando allí, les gustó mucho y yo me prestaba, casi no ganaba nada pero me prestaba para ir practicando y estaba encantada, la estrella era yo ¿qué te parece? ¡Qué categoría! Yo sola nada más y la música, después que yo recitaba, por ejemplo un poe-

---

* Movimiento cívico organizado en favor de los presos nacionalistas

ma lírico, que lo recitaba completo, entonces ponían un disco con música melodiosa, bonita; y luego, cuando me mandaron a aprenderme la poesía negroide de Palés Matos—que es el poeta máximo de lo negro en Puerto Rico—pues ponían una música acorde con ese tipo de poesía.

La poesía de Palés demostraba el dolor de la raza negra, la liturgia, los bailes y los cantos. Yo aprendí sobre eso trabajando en la emisora, tomando consejos, yéndome a los bailes de bomba allí en Mayagüez. Y así…hasta que un día me fui para San Juan. La gente me dijo que debería irme allí, donde estaba el mundo intelectual. Tenía dos vestidos para poder salir—después de la masacre yo era otra mujer—pero me fui a San Juan y allí empecé a recitar en el Ateneo, en los teatros. Estuve en San Juan alrededor de dos años, yendo y viniendo porque no podía estarme allí continuamente. La vida en San Juan era cara. A veces estaba en casa de una amiga. Volví a irme a Mayagüez, pero me invitaron para muchos recitales en San Juan, y así…Y eso me daba otra práctica. Porque una cosa es el radio, y otra cosa el escenario teatral: que es más imponente todavía.

Yo trabajaba en una parte y en otra, casi siempre en las escuelas. Hasta un día en el 1941 que me hicieron un recital de homenaje en la Escuela Superior Central, una cosa preciosa, y vino la señora de Albizu Campos que había viajado a Puerto Rico. Ella viajaba por América, trabajando por Don Pedro y los demás prisioneros que estaban en Atlanta. Y ella me oyó. Cuando yo fui a verla al día siguiente, me dijo: "Usted no debe ser más una declamadora así, de aquí nada más. Es necesario que usted haga ciertos estudios, más práctica afuera, para que usted pueda ir a todos los escenarios. Está destinada a visitar escenarios más grandes, desenvolverse mejor. Yo voy a hablar en Cuba, allí conozco dos o tres maestros, voy a hablar con ellos y le voy a escribir…". Y así lo hizo. Yo necesitaba seguir luchando por la libertad de mi pueblo, todo lo que pudiera y por el camino que me fuera posible. Y en el año 1942 me fui a Cuba…

VII. DON PEDRO DIJO: A DOMINGA LE ESTÁ DESPERTANDO LA CONCIENCIA INTERNACIONALISTA

"En 1940 Puerto Rico era una sociedad rural en crisis. La Isla estaba atrapada todavía en la depresión. Los obreros azucareros ganaban 15 centavos por hora, cuando había trabajo. Decenas de miles de puertorriqueños estaban desempleados, los niños tenían hambre, las condiciones de vivienda eran deplorables. El colapso del mercado de valores norteamericano de 1929 y la crisis económica de los años '30 produjeron un descenso en la agricultura de la Isla. Las plantaciones se arruinaron. Las familias emigraron del campo a las ciudades y de la Isla a los Estados Unidos, buscando trabajo."

Puerto Rico, The Flame of Resistance, p. 63.

Estuve en Cuba hasta el '44. Estudié. Vivía con familias, comía poco y la vida no era fácil. Me ayudó un hermano, para que pudiera quedarme un tiempo y conseguir lo que me hacía falta, para poder llevar mejor mi arte. ¡La Cuba de entonces no era la Cuba de ahora! ¡No! Estudié con don Pedro Boquet, con Manuel Elósegui. Lavaba pisos, trabajaba en las casas donde vivía, para ayudarme. Así pasé esos dos años y aprendí bastante. Entonces volví a Puerto Rico.

El Partido Comunista me ayudó mucho. Con Don Pedro y los otros líderes nacionalistas en la cárcel todavía, el Partido Nacionalista estaba atravesando una situación difícil. Pero los comunistas me ayudaron. Me arreglaron recitales, en el teatro "La Perla" de Ponce y "Tapia" de San Juan. Después del recital del "Tapia" tuve que salir de Puerto Rico porque ya estaba demasiado perseguida. Entonces me dijo el jefe del Partido Comunista, el Dr. José Lanauze Rolón, "tienes que salir de Puerto Rico. A través de tu arte, de tu declamación, puedes hablar de cómo está nuestra Isla. Es la única manera, y precisamente porque debemos salvarte. Están chequeándote demasiado". Así fue como me lancé por el mundo, en el año 1945, y no volví a mi Isla hasta 1976, cuando estuve cuatro meses.

Viví 16 años en México: 6 en la capital y 10 trabajando en Monterrey... Y durante ese tiempo fue que me escribió la compañera Ruth Reynolds,* me escribió una carta invitándome—ya había salido Don Pedro de Atlanta—y entonces Ruth me invitó, como estaba en México y podía pasar por la frontera, que fuera allá a ver a Don Pedro. Y así lo hice. Estuve cuatro meses en Nueva York.

Me acuerdo que una noche me invitaron a recitar en la Universidad de Columbia, en la Casa Hispánica. Don Pedro no pudo ir conmigo porque él estaba convaleciente. Mandó a uno de los compañeros que ahora guarda prisión**—no me acuerdo si era Irvin Flores o Figueroa, no sé... que me acompañara, y a otra señora puertorriqueña para que también me sirviera de compañía allí por cualquier cosa.

Llegamos y aquello estaba repleto, allí estaban reunidos norteamericanos, latinoamericanos, en fin: había un público bastante acogedor. En la Casa Hispánica de la Universidad de Columbia se hallaban sentados como hacen los norteamericanos, que ellos se sientan en el suelo a oír las cosas que les gustan, ¡y para mí eso fue un placer!

Cuando yo llegué a casa, después del recital, Don Pedro no estaba. Lo habían llevado a una vivienda que tenía mejor calefacción. Pero al otro día lo vi y tenía un periódico, "La Prensa", y me preguntó: "¿Has visto lo que dicen de ti?" El artículo estaba bastante bien hecho, hablaba de cada poema, del de Palés, de la "Balada de Simón Caraballo" de Guillén que tocó muy hondo allí. Y comparaban mi voz con la del poeta negro norteamericano Langston Hughes. Decía el artículo que yo nací para decir ese verso de Langston Hughes: "¡Yo también canto a América!"

Entonces Don Pedro leyó eso, y a él le gustaba mucho observar a las personas en sus reacciones, ¿qué hacían? Le gustaba mucho eso. Y me preguntó: "¿Qué dices de esto?" Yo le dije que muy bien, pero que yo no merecía que me compararan con un gran poeta como Hughes. Y él me dijo: "Canto a América... ¿Te das cuenta? ¿Toda la América?" Y yo le contesté: "¡*Toda* la América, Don Pedro, TODA la América! Toda la América algún día debe de estar en paz y bien unida".

---

 * Ruth Reynolds fue una norteamericana muy dedicada a la causa puertorriqueña y cercana a Don Pedro Albizu Campos, a quien cuidó cuando salió de la cárcel en Estados Unidos.

** Dos de los cinco presos nacionalistas—Oscar Collazo, Lolita Lebrón, Rafael Cancel Miranda, Andrés Figueroa Cordero e Irvin Flores—encarcelados en 1950 y 1954 durante décadas por actos en contra de los EE. UU. Cuatro fueron excarcelados en 1979 después de una campaña internacional; Figueroa Cordero fue excarcelado en 1978 porque se estaba muriendo de cáncer.

Él me oyó y se quedó callado. Volvió y se fue. Pero después le dijo a una de las compañeras allí: "Sabes... ¡a Dominga le está despertando la conciencia internacionalista!"

VIII. CON EL SOCIALISMO Y EL COMUNISMO: ¡NO HAY PARA ATRÁS!*

Gran parte del peso de la vida en las comunidades puertorriqueñas lo lleva la mujer, triplemente oprimida como puertorriqueña, como mujer y como trabajadora. Sobre ella recaen el trabajo en la fábrica y el trabajo en el hogar, los problemas de los hijos, la enajenación del aislamiento entre cuatro paredes, las frustraciones y la emasculación que sufre su marido bajo el sistema. Más de 340,000 mujeres puertorriqueñas en edad de trabajar residentes en EE.UU. están excluidas de la fuerza de trabajo asalariada. Víctima de una educación inferior tanto en la colonia como en Estados Unidos, a la puertorriqueña, como a otras mujeres del tercer mundo, se la "programa" para que se autoinferiorice tanto ante el opresor como ante el propio hombre puertorriqueño.

Partido Socialista Puertorriqueño. *Nueva Lucha*, número especial titulado "Desde las entrañas", 1973, p. 18.

Me preguntas de mi crecimiento ideológico: yo nunca he sido buena religiosa. Eso a mí misma me hace gracia porque siempre estoy peleada con las religiones. De niña, ya más grandecita, me quitaron un poquito de la naturaleza, de la travesura, y me mandaron con unas hermanitas de la Caridad a aprender el catecismo católico. Yo todo lo recitaba después de memoria como acostumbraba, pero no lo comprendía y no me interesaba tampoco.

---

* Este era el sentir común de muchos de nosotros en nuestra lucha por la igualdad social durante los años '70. Creíamos que nuestros logros eran irreversibles. Aun cuando criticáramos las políticas de algunos países socialistas, veíamos al mundo avanzar en esa dirección. Casi medio siglo después, esta parece ser una falsa creencia. Hemos sido testigos del derrumbe de la mayor parte del mundo socialista y, en aquellos países que todavía se proclaman socialistas, sus formas de gobierno en muchos casos se asemejan más a las de un estado capitalista. Debemos aceptar el hecho de que nuevamente el capitalismo ha asumido el control. Hoy en día, para quienes estábamos tan confiados en ese entonces, lo que más podemos esperar es preservar los logros principales de la revolución en las áreas de bienestar social, atención de la salud y educación.

Ya ahora, después, vieja como estoy, en México me gustó ver otras cosas. Miré primero unas conferencias que daban en Monterrey: de espiritualismo. Una especie de teosofismo. También ingresé allí, pero tampoco esto me convencía. Entonces luego fui Rosacruz y eso lo estudié un poco. Después ingresé en la Logia José Martí. Sí, allí en México. Todavía tengo la carta allí... Eso me gustó un poco más, oí más libertad, en fin, otra cosa. No era como las religiones que había conocido, sino como algo un poco más científico, que me agradó un poco más.

Pero el marxismo, el materialismo: eso sí es otra cosa. No te voy a decir que lo entiendo mucho, no soy una teórica, pero me gusta más. Ha sido únicamente lo que me ha gustado de verdad. Entré en la Universidad Obrera de México antes de venir aquí a Cuba. También había escuchado hablar a Fidel Castro y al Che Guevara. Laura Meneses, la esposa de Don Pedro, me llevó a una reunión donde ellos estaban, creo que en el año '56. En esa reunión se hablaba desde las 9 hasta las 2 de la madrugada. Esa reunión, la Universidad Obrera, esas cosas me influyeron después. ¡Con el socialismo y el comunismo, no hay para atrás!

"En los años '50 centenares de fábricas de textiles invadieron la Isla como una plaga de langostas. Miles de mujeres puertorriqueñas que antes habían realizado trabajo de aguja en sus casas fueron a las fábricas a coser pantalones mahones para el mercado neoyorkino. Les pagaban 25 centavos por hora, es decir, una tercera parte a la mitad del sueldo que ganaban las operarias de fábricas de ropa en los antros de explotación de la ciudad de Nueva York a principio de la década del '50. Recibían muy pocos beneficios marginales, si alguno, y muy poca protección de los sindicatos. El reloj de entrada y salida, la línea de producción y la máquina de coser establecían el ritmo de sus vidas."

Puerto Rico, the Flame of Resistance, p. 91.

Yo te decía que varios años antes de morir Don Pedro, pude estar unos días con él. Fue cuando Ruth Reynolds me mandó llamar desde Nueva York. Don Pedro estaba hospedado en casa de una familia puertorriqueña. Pero muy enfermo. Él salió del Hospital Columbus, donde lo llevaron al salir de Atlanta, y allí fue, se puede decir, donde pasó el resto de su enfermedad, porque creo que estuvo hospitalizado dos años o cerca de dos años. Estuvo atendido por esas compañeras norteamericanas, y unas veces lo tenían en casa de Alamo,* donde yo fui a verlo—y vivía en el mismo edificio—y otras veces lo trasladaron a lo que dicen la ciudad alta,** que tiene mejores condiciones.

Tuve el gusto de poder estar de nuevo cerca de él. Él tuvo una gran alegría al ver toda la transformación que se había operado en mí, que ya era una declamadora de nota, se puede decir (se ríe) internacional, y un día me hizo recitarle tres o cuatro poemas. Y me acuerdo que los recité. Le di casi un pequeño recital a él exclusivamente. A Don Pedro le gustó mucho la poesía de Palés. También le recité uno de Clara Lair de Puerto Rico, y otro de origen negro...

Cuando murió Don Pedro, yo ya estaba aquí en Cuba. Era el año 1965. Yo oía todos los cables. Tiempos dificilísimos aquellos; ahora es que están mejores. Pero bueno, estuve sola en mi casa. Una vecina me tocó la puerta y se sentó conmigo un rato. También un norteamericano vino a mi casa, a darme el pésame. Pero yo estoy acostumbrada a pasar muchas de las cosas en la vida sola. La lucha endurece a la persona, Margaret, la prepara para pisar firme sobre la tierra. Estoy agradecida a la lucha, ya no tengo más nada que esperar, a no ser cada día la libertad de mi pueblo. Después de dejar este mensaje para todos, lo que me falta ahora es que venga lo que le dicen "la muerte", *¡que yo no creo en la muerte!*

De la muerte de Don Pedro, nuestro gran Juan Marinello escribió: "Muere Pedro Albizu Campos en el momento mismo en que los pueblos de su América se levantan para cumplir su mandato".

---

* Combatiente nacionalista

** uptown

IX. NUNCA HE VISTO EN TODO LO QUE YO HE VIAJADO, A NO SER EN CUBA, TANTO CARIÑO COMO EN LA UNIÓN SOVIÉTICA

"En las luchas heroicas de todos los pueblos que han tenido que conquistar su independencia en estas décadas, en medio de grandes sacrificios, ha estado siempre presente la solidaridad de la Unión Soviética y el campo socialista. En las luchas heroicas de los pueblos árabes por su independencia, en las luchas heroicas de los pueblos africanos, de las antiguas colonias portuguesas por su independencia, estaba presente, invariablemente, la solidaridad de la Unión Soviética y el campo socialista."

Fidel Castro, 8 de mayo de 1975.

En julio de 1963 fui a la Unión Soviética. Ya yo vivía en Cuba, pero necesitaba atender mi salud allí. Me sentía muy mal, desde México ya estaba mal. Entonces aquí empezaba la costumbre de que los residentes latinoamericanos fueran a cortar caña. Un domingo yo quise ir, y vine muy mal. Me acuerdo que me vio un doctor checoslovaco y al día siguiente me llevó al Hospital Universitario que era donde él trabajaba.

Me hicieron radiografías, en realidad me vieron en distintos hospitales—El Comandante Fajardo, el Hospital Naval—y me atendieron muy bien, pero hubo diferencias de opinión en cuanto a qué era exactamente lo que yo tenía. Unos médicos decían que era una especie de bocio interno, otros decían otra cosa. Fue entonces que ese primer médico, el checoslovaco, me dijo: "Dominga, ¿por qué usted no escribe al Comité de Mujeres Soviéticas, y yo escribiré aparte?" Así lo hicimos, y a vuelta de correo me contestaron a mí, y a él lo pusieron en contacto con un médico soviético para ver las radiografías en seguida. Y el Comité Soviético me invitó para ser atendida en un hospital de Moscú, con todos los gastos pagados. ¡Mira qué maravilla de gente!

Yo llevé entonces esa invitación al ICAP,* y me gestionaron todo, todos los trámites bien rápidos para que yo me pudiera ir.

En esos momentos se iba a celebrar el Congreso Mundial de Mujeres. Entonces cuando llegué al aeropuerto de Moscú me dijo Novikova, la señora de Novikov el ministro—ella me recibió, yo la conocí en México y me recibió con cariño—y en seguida me dijo: "Dominga, más que nada te invitamos al Congreso Mundial de Mujeres, ¡para que hables allí!" Imagínate, qué alegría para mí, porque iba a poder hablar nada menos que allí de todas las tristezas que tenemos nosotros, todas las batallas que habíamos pasado—¡como en nuestra patria una tercera parte de nosotras las mujeres hemos sido esterilizadas por el imperialismo!**—en una parte tan importante como es el Salón de los Congresos del Kremlin. Y le dije que sí.

Así es que inmediatamente esa noche que llegué, me llevaron en seguida que amaneció al policlínico. Y me vieron. Los mejores especialistas, lo mejor que había. Porque ellos examinan, bueno, desde la punta de los pies—ellos quieren saber *todo*. Había mucha mujer médica, entre profesores y mujeres doctores. Me empezaron a hacer los análisis el primer día que llegué a Moscú. Y me pasearon por la ciudad durante más o menos 15 días que faltaban antes de comenzar el Congreso. Mientras, iban analizando mi situación, qué era en realidad lo que yo tenía…

Margaret, yo he viajado, pero nunca he visto en todo lo que yo he viajado, a no ser aquí, en Cuba, tanto cariño como en la Unión Soviética. Amor para todas las mujeres, que venían de Australia, de África…Nos decían: "Nosotros hemos sufrido mucho, y ustedes también, entonces el que sufre comprende al que ha sufrido". En fin, ¿para qué te voy a explicar?

A mí la Unión Soviética me sorprendió en lo inmenso primero. Moscú es una ciudad que se ve está en un país inmenso, pero ¡qué tranquila! Así de inmensa que es, en comparación con Estados Unidos. Cuando yo fui a Nueva York, la situación que se ve en las calles es terrible, tú sabes; es decir, la vida en Moscú es distinta, tranquila. Es una cosa admirable, que hayan hecho una cosa tan hermosa como han hecho, una cosa tan apacible…

También otra vez me llevaron al Bolshoi. A ver uno de los ballets más

---

* ICAP: Instituto Cubano de Amistad con los Pueblos, el organismo cubano que atiende a los extranjeros que visitan o residen en el país.

** Durante los años '60 y '70, el gobierno de EE. UU. promovió y financió la esterilización generalizada de mujeres de color. Más de un tercio de las mujeres puertorriqueñas en edad fértil fueron esterilizadas en Puerto Rico y la diáspora. La práctica fue descubierta por la médica puertorriqueña Helen Rodríguez Trías, quien lanzó un movimiento para acabar con el abuso de esterilización. En 1978, el movimiento fue exitoso al lograr directrices para las esterilizaciones financiadas por fondos federales.

bellos. Y entonces—eso yo se los pedí—yo quise ver el mausoleo de Lenin. Yo no he recibido después de la masacre de Ponce una impresión tan grande como la que recibí al ver a Lenin. Se está poco, pero en ese poquito momento que yo pude verlo, porque se pasa en seguida así, hay mucha gente, en el pequeño momento en que yo pude verlo, lo contemplé, vi ese hombre, ese compañero, y yo decía: "¡cómo si hubiera acabado de almorzar y estuviera durmiendo la siesta!" Así lo vi. Entonces decía: "¡Pero cómo es posible que yo esté ante este hombre, un hombre que ha conmovido al mundo entero, que ha hecho una revolución tan grande!"

Yo salí así pensativa, y no veía donde caminaba, entonces uno de los guardianes que son muy jóvenes le dijo algo a la traductora, yo me di cuenta de pronto, le dijo a la traductora que tuviera cuidado, que yo estaba caminando muy abstraída. Entonces la traductora me cogió de un brazo y me di cuenta de eso. Fue una de las emociones más grandes que he tenido.

Después de eso, entonces al Congreso: eso fue ver el mundo desfilando delante de uno. Vi mujeres, y hombres que también había muchos, de todos los países del mundo. Y como si se hubiera dado cita ahí de antemano, el mundo uniéndose de repente…Como yo me pongo en seguida a soñar, yo pensaba que ese era algo así como una cita desde hace mucho tiempo para que se celebrara algo para la paz. Y estaba la Valentina Tereshkova, ella había estado volando en esos días, yo estaba en el hotel y la traductora mía me dijo que la Valentina estaba allí arriba saludando al mundo entero, saludando a todos, y después cuando el Congreso, ella vino. Y casi no la dejaban, todo el mundo quería besarla, tocarla, y yo la veía tan pequeña, tan delgadita, tan sonriente, tan sencilla, una mujer *verdaderamente sencilla*, que no parecía que había hecho esa proeza tan enorme de ir al cosmos. Entonces yo le decía que las mujeres luchadoras puertorriqueñas la saludaban como una verdadera mensajera ¡que iba proclamando la paz por toda la Tierra!

Después del Congreso, hubo una especie de recepción en el mismo Kremlin. Y yo bailé. No como aquí—bueno, el baile de allí, ¿no?—que ellos hacen una rueda con las manos, yo estaba allí parada y entonces me jalaban de un brazo y me entraron en la rueda esa, de lo más bien. Y después me invitaron a pasear por el interior del país, a ver Volgogrado o Leningrado. Pero ya yo no podía. Ya se me veían las piernas muy inflamadas. Entonces yo les dije que no, ingrésenme en el hospital porque no puedo estar ya. En seguida me ingresaron. Y empezaron a hacerme otros análisis. En definitiva vieron que lo que yo había tenido era un pequeño infarto. Decían que yo tenía un cansancio de una lucha tremenda, de toda una vida. Me dijeron que eran muchos los años que yo había estado batallando demasiado. Y había resistido tanto [se ríe mucho]. Que había resistido demasiado...

Me acostaron tres meses, no me dejaron moverme. Dijeron que lo que tenía era eso, que había luchado demasiado, y que había tenido otras crisis cardíacas pero las había resistido. Porque se veía que yo era fuerte. Había podido resistir esas crisis, pero ahora tenía que acostarme, y tenía que tener un cuidado tremendo. Entonces ya, después de tres meses acostada y un mes que pasé afuera—entre el Congreso y paseando—después de esos cuatro meses me mandaron para Cuba. Viajé vía Praga, donde también descansé dos días. Esto es lo que puedo contarte en cuanto al trato que tuvieron conmigo en la Unión Soviética. Comprenderás que por esas cosas no se puede decir "gracias" porque no se puede decir "gracias" a una cosa tan grande...

X. EN LA PEÑA ¡SENTÍ QUE TENÍA LA OPORTUNIDAD DE HABLAR ANTE UN MUNDO NUEVO!

"En los años '60 Puerto Rico jugó un papel fundamental dentro de los planes norteamericanos para impedir que surgiera otra "Cuba" en América Latina. Se almacenaron en Puerto Rico bombas atómicas y armamentos nucleares listos para ser usados cuando fuese necesario. Los bosques tropicales en la Isla sirvieron para entrenar tropas de Estados Unidos en métodos antiguerrilleros. En 1965, se enviaron a la República Dominicana 25,000 soldados norteamericanos estacionados en Puerto Rico. Derrotaron al gobierno de Juan Bosch, elegido democráticamente, porque amenazaba salirse de la órbita del imperio norteamericano. Y, desde luego, Estados Unidos quería evitar una revolución en Puerto Rico. Sus fuerzas militares se utilizaron para intimidar y reprimir a los independentistas puertorriqueños. Puerto Rico pasó a ser el hogar de 30,000 exiliados cubanos…Con la ayuda de la CIA algunos de ellos fundaron "Alfa 66", un grupo militar derechista que realizaba bombardeos y asesinatos, no sólo contra el gobierno cubano, sino también contra el movimiento independentista de Puerto Rico."

Puerto Rico, The Flame of Resistance, p. 96.

¿Cuba? Yo vine en unas condiciones, casi huyendo, porque en México trabajé bastante. Y trabajé mucho por la solidaridad que tenía México con Cuba; en 1960 tuvimos que trabajar bastante en la Unión de Mujeres de Centroamérica y el Caribe, se hizo una Conferencia… También estuve en la Universidad Obrera. Mi trabajo era fuerte entonces y empezaron a perseguirme. Fue entonces que tuve que refugiarme en la Cuba generosa. Fue en 1961…

Aquí me dieron trabajo en seguida. Trabajé en Cultura. Me ubicaron para trabajar con obreros, explicando la poesía revolucionaria, yendo a las fábricas, recitando y explicando…Y así hasta que me enfermé. Aquí ya yo tengo más años, esa costumbre que tiene el almanaque de marcar el 31 de diciembre, el 31 de diciembre: ¡es demasiado lo que marca, rápidamente! Y me salieron mis enfermedades. Las que tenía ocultas me salieron [se ríe]. Y el gobierno, viendo que ya no pude más, me invitó para que descansara y me ha dedicado una pensión.

Viene el mes de marzo, cada año, y es recordar de nuevo: recordar a Ponce, a los muertos, a mis compañeros. Marzo siempre trae emociones muy fuertes para mí. Y cada año hay sus recordatorios, han habido actos políticos muy buenos en México, en Nueva York, en todas partes—y yo he participado en muchos de ellos. Claro, aquí en Cuba es todo un pueblo que recuerda esa fecha. Pero quiero contarte de una conmemoración este año, porque fue algo distinto, muy grande, realmente muy grande…

Yo había oído hablar de la Peña Literaria, en el Parque Lenin, pero no sabía qué era exactamente. No me imaginaba qué era. Garzón, Teresita y Lydia* me llevaron allí y me dijeron: "Esta es la Peña…", y yo vi piedras enormes, una piedra que ellos le dicen "el trono", árboles, musgos, yagrumas, bueno— ¡todo para mí fue un encanto! Me acordaba de cuando niña, que recitaba poesía entre los árboles por el río…

Allí yo comprendí que me habían llevado a un lugar tranquilo, donde yo podía estar como en un sueño. Allí yo oí recitar a Garzón, oí el canto y la guitarra de Teresita Fernández, todo fue muy bello. Yo que he estado de verdad en grandes teatros, viendo personalidades, aquello me parecía otra cosa distinta, otra cosa, no sé, ¡como un sueño! Sentí la paz en ese lugar, los árboles protegiéndonos a nosotros, las piedras dándonos sus asientos, algo muy bello y grande. Y había un tumulto de gente. Todos habían venido a rendir homenaje a Ponce.

Yo estaba contentísima. No sé si me comprenderás: contentísima a pesar del dolor, ¡porque en la Peña todo es una verdadera poesía! Allí había cubanos, naturalmente, y también personas de afuera: una delegación no sé si de norteamericanos o alemanes; unas mujeres vinieron donde yo estaba especialmente y me hablaron de la lucha en todas partes, y de la paz que debe reinar en el mundo.

Otro domingo volví a la Peña de nuevo. Hubo poesía, hubo canto, habló el compañero delegado de la misión del Partido Socialista Puertorriqueño aquí en Cuba, hablaron otros…Ese día hablé yo, entre contenta

* Francisco Garzón Céspedes, poeta, y Teresita Fernández, trovadora, que son los Juglares de la Peña Literaria del Parque Lenin en La Habana, y Lydia Pedroso, la administradora de la Peña Literaria y de la Galería de Arte del Parque.

y triste, me tocó la palabra para hablar de la masacre y cuando yo me paré no era yo, Margaret, era otra cosa muy distinta, vi a Puerto Rico como estaba antes, los muchachos—los mártires—tirados en el suelo... Y entonces, ¡me inspiraba de una manera...! ¡En la Peña sentí que tenía la oportunidad de hablar ante un mundo nuevo! Y por eso fue que hablé como hablé...

Después todos los presentes se me acercaron uno por uno con una flor en la mano y me fueron entregando las flores, ¡qué recuerdo tan grande!

XI. TENGO MUCHA CONFIANZA EN MI PUEBLO

"Deseo ver a Puerto Rico como nación más esclarecida ante el mundo. Quiero decir que me siento terriblemente ofendida de que oigo unos pasos hacia la estadidad de Puerto Rico. La estadidad sería nuestra destrucción total, como nación, y como gente, porque nosotros los que hemos siempre luchado por este ideal y aquellos niños que están levantándose, no vamos a aceptar esta imposición en el carácter, el alma y la conciencia puertorriqueña."

Lolita Lebrón, en Alderson, West Virginia, entrevista en 1972.

En 1976, yo regresé a Puerto Rico. Quise mucho regresar, porque es mi patria y son más de 30 los familiares que tengo allá, en fin... quería ver a mi familia, son muchos los años de exilio, corriendo de una parte a otra, a veces pasando hambre, otras veces mejor...Me parecía que me podría sorprender la muerte sin ver a mi país otra vez. Entonces Cuba me ayudó a regresar, pero también los cubanos me pusieron el regreso para acá, porque ya ésta es mi casa.

Estuve cuatro meses. Y Puerto Rico me dio una pena enorme. Es un pueblo que está herido, pero que está herido de otra manera muy sutil, distinta de cuando yo vivía allá. Ahora hay aún más desempleo, y no se come nada sembrado en Puerto Rico: muy poco. Casi todo viene de afuera, de California o Santo Domingo. Bueno, es un desastre. ¡Puerto Rico, por culpa de los yanquis, es lo que se llama *un desastre!*

Cuando Albizu, el nivel de lucha estaba declarado. Los yanquis decían "¡Les haremos la guerra!" y nosotros decíamos "Bueno, ¡habrá guerra entonces!" Ahora sigue esa lucha: el Partido Socialista Puertorriqueño, el Partido Comunista, los independentistas todos... Claro, los tiempos han cambiado, y la lucha también asume otras formas. La batalla hoy es aún más difícil. Pero se da y se dará hasta la victoria. Tengo mucha confianza en mi pueblo...

XII. ¡LA LUCHA CONTINÚA!

Hay algo, un recuerdo: no puedo quitármelo de la mente. No pienses que me admiro extremadamente de las cosas. No. Es que esto vale, porque hizo despertar en mí algo muy oculto que yo todavía no había comprendido. Pasó aquí en Cuba, hace algunos años. Fue en un encuentro que hizo el ICAP para el Día de las Madres.

Yo estaba invitada más que nada para que de vez en cuando recitara un poema, por eso es que yo estaba invitada, a mí no me invitaron como madre, a mí me invitaron así, para que asistiera y recitara a los demás. Y cuando empezaron a repartir las flores a las madres de los mártires, de pronto sale un niño de 12 años, sale de allí, de atrás de donde estaban las flores—parece que él las fue reuniendo una a una de los mazos—y vino hasta mí y me dijo: "Toma éstas, Dominga, porque ¡a tus hijos te los mataron en Ponce!"

¡Fue un recuerdo *tan grande* el que él evocó en mí!

Yo en ese momento vi a aquellos muchachos, que éramos compañeros, que iban conmigo a Ponce, que estábamos bromeando, porque éramos jóvenes, bromeando, y después los vi… ¡yo nunca más he vuelto a ser joven, Margaret, desde ese momento, jamás he vuelto a tener esa alegría juvenil! ¡No! No he podido tenerla más.

Y todo eso él lo evocó con ese gesto y esa sola palabra.

Los vi tendidos a mis pies a todos ellos, con sus vientres abiertos, y me parece que los vi como si ellos me hablaran, como si me dijeran que yo tenía ingratitud, que no los consideraba *como él los consideró,* ¡y me hizo despertar! ¡Fue lo que se llama un campanazo para que esta mujer despertara aún más! ¡Un campanazo que siempre resonará! ¡Para que yo comprendiera definitivamente cuál es mi verdadera misión! Gracias a ese niño, ¡que toda la vida lleve él ese bien que me hizo!

Fue la bandera caída en Ponce y alzada en Ponce otra vez entre mis manos.

Era la juventud despertando a la vieja generación. La continuación de todo.

Porque como dice África: ¡La lucha continúa!

EPÍLOGO

Hoy en día Puerto Rico sigue siendo una colonia, todavía recuperándose de la destrucción por el huracán María, el huracán de categoría 5 que devastó Puerto Rico el 20 de septiembre de 2017. Considerado el peor desastre natural registrado en Puerto Rico y Dominica, María dejó a Puerto Rico sin agua potable y la electricidad durante casi un año (sigue siendo un problema en las zonas montañosas), interrumpió el transporte y las telecomunicaciones y causó daños considerables en hogares, edificios públicos, y carreteras; también en el sistema de salud ya deteriorado. El gobierno estadounidense y sus agentes coloniales en la Isla aseguraron que solo unas cuantas personas murieron a causa del huracán, pero los estudios revelaron que entre 3000 y 4645 perecieron tras el huracán y la vergonzosa e incompetente respuesta de los gobiernos colonial y estadounidense.

El desastre causado por María y la reacción del gobierno estadounidense de lanzar toallas de papel fueron una continuación de décadas de políticas coloniales como la Ley Jones y prácticas de inversión de capitales buitres que dieron lugar al total desastre económico, sumiendo a Puerto Rico con una deuda impagable de $70 mil millones. Esta deuda masiva la han descrito muchos puertorriqueños y observadores como una deuda *odiosa*. Este término jurídico considera a las políticas coloniales, las irresponsables prácticas de inversión y la corrupción generalizada como los autores de la deuda, y por tanto responsables de ella, y no así el pueblo puertorriqueño.

La respuesta del gobierno estadounidense a los inversionistas preocupados fue la aprobación en junio de 2016 de la ley PROMESA (Supervisión, Administración y Estabilidad Financiera de Puerto Rico) la cual instaló una Junta de Control Fiscal no electa, para "supervisar la restructuración" de la deuda. En la práctica, la Junta se ha dedicado a implantar medidas de austeridad como los recortes propuestos para las pensiones, el cierre de 200 escuelas, la reducción de servicios sociales y de salud básicos, restricciones a los derechos de los trabajadores, violación al derecho de manifestación y un sinnúmero de ataques económicos y políticos a la población de la Isla.

Las demandas populares para una auditoría de la deuda, para descubrir a los verdaderos responsables y su responsabilidad, han sido ignoradas. Economistas, celebridades, funcionarios electos y activistas de la isla y del mundo entero han pedido repetidamente condonar la deuda.

En medio de todo esto, el pueblo puertorriqueño continúa trabajando incansablemente y con orgullo para recuperarse de la destrucción que dejó a su paso por la isla el huracán María, para protestar por la miseria que traerán las recomendaciones de la Junta, y para seguir la lucha por la libertad del dominio colonial.

Ha habido importantes victorias. La batalla de décadas para sacar a la Marina estadounidense de Vieques y para poner fin a medio siglo de prácticas de bombardeo estadounidense allí aglutinó a un amplio frente de sectores, instituciones y personas de Puerto Rico y el mundo. Después de años de manifestaciones y desobediencia civil generalizada, el esfuerzo unido logró la salida de la Marina de Vieques el 1 de mayo de 2003.

Un frente similar se formó en la campaña para lograr la liberación del preso político Oscar López Rivera, quien fue excarcelado luego de que el presidente estadounidense Barack Obama le conmutó su condena a prisión el 17 de enero de 2017; salió en libertad el 17 de mayo de 2017. Encarcelado durante casi 36 años, López Rivera fue el último en ser liberado de un grupo de presos políticos arrestados en los '80s acusados de "conspiración sediciosa", el crimen "de pensamiento" de los que quieren ver a Puerto Rico libre de la dominación extranjera. La campaña para la liberación de López Rivera unió a galardonados con el premio Nobel, líderes religiosos y sindicales y jefes de Estado internacionales con activistas de diversos movimientos, en actividades que demostraron excepcional creatividad, imaginación y amor.

Estas dos grandes victorias nacionales se consolidaron y contribuyeron al crecimiento y la diversidad de movimientos populares en Puerto Rico. Además de los independentistas, han florecido movimientos unidos de estudiantes y mujeres, activistas por el medio ambiente, agroecologistas, personas LGBTQ, sectores culturales diversos y personas de ascendencia africana.

El movimiento afrodescendiente, que identifica y reafirma las raíces africanas de pueblos y culturas, ha crecido significativamente en Puerto Rico y en todas las Américas. Puerto Rico celebra las contribuciones africanas a la música, poesía, literatura, ciencias, lenguaje y artes culinarias, y proclama el origen africano de prominentes puertorriqueños. También exalta a los precursores del movimiento actual, aquellos patriotas afrodescendientes que dejaron una marca en la historia de Puerto Rico, como Pedro Albizu Campos.

Y Dominga de la Cruz.

***

Dominga de la Cruz Becerril falleció el 25 de noviembre de 1981 en La Habana, Cuba, a los setenta y dos años.

La historia de Dominga ha sido compartida por mucha gente en las últimas cuatro décadas. Entre ellos están el contemporáneo de Dominga, Juan Antonio Corretjer (*Re: Mujer boricua*, 1997) y Margaret Randall (*El pueblo no sólo es testigo. La historia de Dominga*, 1979). Más recientemente, Olga Jiménez de Wagenheim con *Nationalist Heroines: Puerto Rican Women History Forgot, 1930s-1950s* (2016) utilizó el trabajo de Randall para escribir un capítulo sobre Dominga.

Hoy en día, la estructura de madera en la calle Marina está marcada; alberga el modesto Museo de la Masacre. Sin embargo, la mayoría de la gente en Puerto Rico y Estados Unidos nunca ha oído hablar de la heroína que "alzó la bandera en Ponce".

Margaret y yo nos propusimos traer la historia de Dominga a los lectores angloparlantes en 1979. Nuestra búsqueda de un editor comenzó en la era de Reagan, cuando el gobierno estadounidense lanzaba una nueva ola de represión en la Isla y en los Estados Unidos.

Muchos obstáculos demoraron la materialización de nuestra visión. Surgieron prioridades urgentes, cuando se intensificó la batalla por sacar a la Marina de Vieques, y cuando una nueva generación de patriotas puertorriqueños fue encarcelada, lo que requirió una lucha prolongada por su liberación. La vida también intervino, con una grave enfermedad, crianza llevada a cabo como madre soltera y trabajo para subsistir. En el mundo editorial, el proyecto se estancó varias veces cuando en repetidas ocasiones se truncaban las opciones de publicar que parecían promisorias, a menudo después de dedicarles gran cantidad de tiempo.

Finalmente, decidimos publicar por nosotras mismas, pues creemos que contar la historia de Dominga hoy es más imperativo que nunca. Decidimos hacer una edición bilingüe porque la versión original en español ha sido agotada por décadas, y es indispensable que la historia de Dominga esté al alcance de los lectores tanto en inglés como en español.

Lo que usted tiene en sus manos es producto de solidaridad y persistencia. Es una lectura esencial para hoy, para educar no solo sobre Dominga y la masacre de Ponce, sino sobre la realidad general de Puerto Rico. Esperamos que para los lectores de todo el mundo, la historia de Dominga los ilumine y los inspire, y aliente la solidaridad que Puerto Rico necesita con tanta urgencia.

Mariana Mcdonald
Atlanta, Georgia
Enero de 2019

NOTAS SOBRE LAS AUTORAS

Foto: Juan Pérez

Margaret Randall (New York, 1936) es poeta, escritora, fotógrafa, militante feminista y activista social. Es autora de más de 120 libros de poesía, ensayo e historia oral. Entre las colecciones de poesía de la autora figuran: *Their Backs to the Sea*, *As If the Empty Chair / Como si la silla vacía*, *She Becomes Time*, *About Little Charlie Lindbergh and other Poems* y *The Morning After: Poetry and Prose for a Post-Truth World*. En 2018, se publicó su poesía seleccionada *Time's Language: Selected Poems 1959-2018*, editado por Katherine M. Hedeen y Víctor Rodríguez Núñez (Wings Press, San Antonio, Texas). Randall vivió en América Latina (México, Cuba y Nicaragua) por 23 años. Ha recibido la Medalla de Mérito Literario (otorgada por Literatura en el Bravo, Chihuahua, México), el premio "Poeta de Dos Hemisferios" (otorgado por Poesía en Paralelo Cero, Quito, Ecuador), y la Medalla Haydée Santamaría (entregada por Casa de las Américas, La Habana, Cuba). En mayo de 2019, la Universidad de New Mexico le confirió el Doctor Honoris Causa en Letras. Para más información acerca de Margaret Randall y su obra, visitar su página web: www.margaretrandall.org

NOTAS SOBRE LAS AUTORAS, *Cont.*

Foto: Andrés Feliciano

Mariana Mcdonald es poeta, escritora, científica, activista e independentista. Es coautora y editora de *Dominga rescata la bandera*. Sus escritos literarios han aparecido extensamente, incluyendo poesía en *Crab Orchard Review* y *New Verse News*; cuentos en *So to Speak* y *Cobalt*, no ficción creativa en *Longridge Review* y *HerStry*; y no ficción en *In Motion*. Fue la editora principal de las memorias bilingües *Cartas a Karina* de Oscar López Rivera, obra ganadora del Premio Libro Latino Internacional de 2017. Ha publicado más de cien artículos científicos, incluyendo el clásico texto "Using the Arts and Literature in Health Education", y ha recibido numerosos premios por su trabajo en salud pública. Mcdonald es activa en movimientos de justicia social y en la comunidad literaria.

COLABORADORAS

Jane Norling

Jane Norling es pintora, muralista, artista de carteles y diseñadora gráfica que aplica su arte para promover la justicia. En 1973, como miembro del colectivo editorial de San Francisco Peoples Press, trabajó en el departamento de diseño en la Habana de OSPAAAL—la Organización de la solidaridad de los pueblos de Asia, África y América Latina—donde diseñó el internacionalmente distribuido cartel *Día de solidaridad mundial con la lucha del pueblo de Puerto Rico* para la revista *Tricontinental*. Durante aproximadamente 50 años, su defensa del arte visual ha contribuido a la calidad de vida para el pueblo de California y para comunidades en todas partes de los EE. UU.

Christina Mills

Christina Mills tradujo al inglés *El pueblo no sólo es testigo. La historia de Dominga*. Ha vivido y trabajado en América Latina y Canadá desempeñándose como profesora, asistente social con jóvenes, traductora, editora, educadora en salud, médica y salubrista. Actualmente jubilada, aspira a tener más tiempo para escribir poesía y no ficción creativa. Radica parcialmente en Canadá y Chile.

AGRADECIMIENTOS

La creación y publicación de este volumen bilingüe sobre la extraordinaria Dominga de la Cruz no habría sido posible sin la asistencia y la cooperación de mucha gente en Cuba, Puerto Rico y los Estados Unidos, quienes ayudaron a que *Dominga Rescues the Flag/Dominga Rescata la bandera* se convirtiera en una realidad.

En Cuba, agradecemos a la Organización de Solidaridad de los Pueblos de Asia, África y América Latina (OSPAAAL) y a Eva Dumenigo, de OSPAA-AL.

En Puerto Rico, agradecemos a Neftalí Garcia y Angel R. Villarini.

En los Estados Unidos, la gente ayudó en una variedad de formas; agradecemos a Nelson Denis y Olga Jiménez de Wagenheim, Ken Dominguez, Lares Feliciano, Alejandro Molina, y al difunto Ramón Feliciano. También agradecemos a Eva de Vallescar, quien ayudó con la traducción al español.

Por último, pero ciertamente no menos importante, *Dominga Rescues the Flag/Dominga rescata la bandera* no habría sido posible sin la labor del dedicado transcriptor Andrés Feliciano, quien hizo posible trabajar con manuscritos preparados muchos años antes de la era digital.

BIBLIOGRAPHY/BIBLIOGRAFÍA

Bergman, Lincoln, et al. *Puerto Rico. The Flame of Resistance*. San Francisco, California: People's Press Puerto Rico Project, 1977.

Campos, Pedro Albizu. "Everybody is quiet but the Nationalist Party." In *Borinquen. An Anthology of Puerto Rican Literature*. Stan Steiner and Maria Teresa Babi, eds. New York: Vintage Books, 1974.

Campos, Pedro Albizu. *Obras escogidas 1923-1936. Tomo I*. Recopilación, introducción y notas por J. Benjamín Torres. San Juan, Puerto Rico: Editorial Jelofe, San Juan de Puerto Rico, 1975.

Campos, Pedro Albizu. *Obras escogidas 1923-1936. Tomo II*. Recopilación, introducción y notas por J. Benjamín Torres. San Juan, Puerto Rico: Editorial Jelofe, San Juan de Puerto Rico, 1981.

Cancel Miranda, Rafael. *Puerto Rico. La independencia es una necesidad*. New York, USA: Pathfinder Press, 1998.

Centro de Estudios Puertorriqueños, History Task Force. *Labor Migration Under Capitalism: The Puerto Rican Experience*. New York: Monthly Review, 1979.

Césaire, Aimé. *Discurso sobre el colonialismo*. Traductores Beñat Baltza Álvarez, Juan Mari Madariaga, Mara Viveros Vigoya. Madrid, España: Ediciones Akal, 2006.

Césaire, Aimé. *Discourse on Colonialism*. Translated by Joan Pinkham. New York: Monthly Review Press, 2000.

Claridad. Editorial Claridad, Urb. Santa Rita, 57 Calle Borinqueña, San Juan, Puerto Rico 00925.

Collazo, Oscar. *El retorno del patriota*. San Juan, Puerto Rico: Ediciones Callejón, 2014.

Corretjer, Juan Antonio. *Albizu Campos and the Ponce Massacre*. New York: World View Publishers, 1965.

Corretjer, Juan Antonio. *Re: Mujer boricua*. Ciales, Puerto Rico: Casa Corretjer, 1997.

Corretjer, Juan Antonio. *Día antes. Cuarenta años de poesía. 1927-1967*. Selección, notas y glosario por Ramón Felipe Medina. Río Piedras, Puerto Rico: Editorial Antillana, 1973.

Denis, Nelson A. *Guerra Contra Todos los Puertorriqueños*. New York: Nation Books, 2015.

Denis, Nelson A. *War Against All Puerto Ricans*. New York: Nation Books, 2015.

Galeano, Eduardo. *Las venas abiertas de América Latina*. Madrid, España: Siglo XXI, 2009.

Galeano, Eduardo. *Open Veins of Latin America*. Translated by Cedric Belfrage. New York: Monthly Review Press, 1973.

González, Oscar. "Helen Rodríguez Trías: How She Fought Forced Sterilization Practices In Puerto Rico." *Inverse*, July 7, 2018. < https://www.inverse.com/article/46786-how-helen-rodriguez-trias-fought-against-forced-sterilization >, sourced May 1, 2019.

Iglesias, César Andreu, ed. *Memorias de Bernardo Vega*. Río Piedras, Puerto Rico: Ediciones Huracán. 1977.

Iglesias, César Andreu, ed. *Memoirs of Bernardo Vega. A Contribution to the History of the Puerto Rican Community in New York*. New York: Monthly Review, 1984.

Jiménez de Wagenheim, Olga. *Nationalist Heroines: Puerto Rican Women History Forgot, 1930s-1950s*. Princeton, New Jersey: Markus Wiener Publishers, 2016.

Lebrón, Lolita. *Sándalo en la celda*. San Juan, Puerto Rico: Editorial Betances, 1976.

López Rivera, José E., ed. *Puerto Rican Nationalism: A Reader*. Chicago, Illinois: Puerto Rican Cultural Center, Editorial Coquí, 1977.

López Rivera, Oscar. *Cartas a Karina. Prison Letters from Oscar López Rivera*. Atlanta, Georgia: The *Cartas a Karina* Project, 2016.

López Rivera, Oscar. Luis Nieves Falcón, ed. *Between Torture and Resistance*. Oakland, California: PM Books, 2013.

López Rivera, Oscar. "A Century of Colonialism: One Hundred Years of Puerto Rican Resistance" in *Warfare in the American Homeland*. Joy James, ed. Durham, North Carolina: Duke University Press, 2007.

Maldonado-Denis, Manuel. *Hacia una interpretación marxista de la historia de Puerto Rico y otros ensayos*. Río Piedras, Puerto Rico: Editorial Antillana, 1977.

Maldonado-Denis, Manuel. *Puerto Rico: A Socio-historic Interpretation*. New York: Vintage, 1972.

Marín Torres, Heriberto. *Coabey: El valle heroico*. San Juan, Puerto Rico: Heriberto Marín Torres, 2011.

Márquez, Roberto, ed. *Puerto Rican Poetry. An Anthology from Aboriginal to Contemporary Times*. Amherst, Massachusetts: University of Massachusetts Press, 2007.

Matos Rodriguez, Felix. V. and Linda C. Delgado. *Puerto Rican Women's History. New Perspectives*. Armonk, New York: M.E. Sharpe, 1998.

Medina Ramírez, Ramón. *El movimiento libertador en la historia de Puerto Rico*. San Juan, Puerto Rico: Ediciones Puerto, 2016.

Meléndez, Edwin and Vargas-Ramos, Carlos, eds. *Puerto Ricans at the Dawn of the New Millennium*. New York: Center for Puerto Rican Studies, 2014.

Nieves Falcón, Luis. *Un siglo de represión política en Puerto Rico (1898-1998)*. San Juan, Puerto Rico: Ediciones Puerto, 2009.

Palés Matos, Luis. *Selected Poems, Poesía selecta*. Houston, Texas: Arte Público Press, 2000.

Paredon Records. *Habla Albizu Campos. Albizu Campos Speaks*. Brooklyn, New York: Paredon Records, 1971. <https://folkways-media.si.edu/liner notes/paredon/PAR02501.pdf >, sourced May 1, 2019.

Paralitici, Ché. *Sentencia Impuesta. 110 años de encarcelamientos por la independencia de Puerto Rico*. San Juan, Puerto Rico: Ediciones Puerto, 2004.

Partido Socialista Puertorriqueño (PSP). "Nueva Lucha," Número especial, *Desde las entrañas*, San Juan, Puerto Rico: Partido Socialista Puertorriqueño, 1973.

Randall, Margaret. *El pueblo no sólo es testigo. La historia de dominga*. Río Piedras, Puerto Rico: Ediciones Huracán, 1979.

Rivera, Angel Quintero. *Lucha obrera en Puerto Rico*. Puerto Rico: CEREP, 1971.

Rivera, Angel Quintero. *Workers' Struggle in Puerto Rico. A Documentary History*. New York: Monthly Review Press, 1976.

Rodríguez de Tió, Lola. *Poesía. Cuadernos de poesía 5*. Ilustraciones de S. Sánchez. San Juan, Puerto Rico: Instituto de Cultura Puertorriqueña,1960.

Rosado, Marisa. *Pedro Albizu Campos. Las llamas de la aurora. Acercamiento a su biografía*. San Juan, Puerto Rico: Ediciones Puerto, 1992.

Rosado, Marisa, et al. *Imagen de Pedro Albizu Campos*. San Juan, Puerto Rico: Instituto de Cultura Puertorriqueña, 1973.

Seijo Bruno, Miñi. *La insurrección nacionalista en Puerto Rico 1950*. Río Piedras, Puerto Rico: Editorial Edil, 1997.

Silén, Juan Angel. *Historia de la nación puertorriqueña*. Río Piedras, Puerto Rico: Editorial Edil, 1973.

Silén, Juan Angel. *Hacia una visión positiva del puertorriqueño*. Río Piedras, Puerto Rico: Editorial Cultural, 1976.

Torres, Andrés and Velázquez, José E., eds. *The Puerto Rican Movement. Voices From the Diaspora*. Philadelphia: Temple University Press, 1998.

Villarini, Angel R. *La Masacre de Ponce. Cuadernos de educación política*. San Juan, Puerto Rico: Editorial de Educación Política del Partido Independentista Puertorriqueño (PIP), 1971.